D1255924

Ramón Amaya Amador

los **BRUJOS** de ilamatepeque

PROLOGO DE
LONGINO BECERRA

Editorial Ramón Amaya Amador
Apartado Postal 20402
Comayagüela, Honduras.

© **Editorial "Ramón Amaya Amador"**
Apartado Postal 20402
Comayagüela, Honduras, C. A.

Portada: "Los Herreros de Ilamatepeque"
Oleo de Moisés Becerra

Interiores: Tintas de Dagoberto Posadas

Impresión: Litografía López

Impreso y hecho en Honduras
Printed and made in Honduras

PROEMIO

He escrito esta novela basado en un hecho histórico de Honduras. Mi fuente ha sido el relato corto, auténtico y documentado, que el escritor J. M. Tobías Rosa publicó bajo el título: "EL FUSILAMIENTO DE LOS CANO", recogido por su hijo, el escritor Rubén Angel Rosa, en su libro "TRADICIONES HONDUREÑAS".

También he obtenido material suficiente en la "RESEÑA HISTORICA DE CENTROAMERICA", del Doctor Lorenzo Montúfar, quien, en el Tomo Quinto, trata este tema de los hermanos Cano y su asesinato político con el pretexto de ser practicantes de la hechicería.

Aun tratándose de un suceso del siglo pasado, consideramos importante presentarlo a las generaciones presentes, utilizando el género novelístico. Será de interés para aquellos que sustentan principios revolucionarios y democráticos.

Esta novela va dedicada a la juventud de Honduras y es un tributo de mi reconocimiento a la memoria de los soldados del pueblo que acompañaron al General Francisco Morazán en las luchas por la unidad de Centroamérica.

AMAYA-AMADOR.

PROLOGO

El 4 de abril de 1843, a las cuatro de la tarde, fueron fusilados en la plaza pública del municipio de Ilamatepeque o Ilama, departamento de Santa Bárbara, Cipriano y Doroteo Cano. Ambos habían sido acusados de ejercer la magia entre las gentes del pueblo y de tratarse con el Demonio, por lo cual tenían la capacidad de convertirse en animales para efectuar sus desafueros contra los lugareños, así como de introducirles tortugas en el estómago a sus enemigos para matarlos. Las acusaciones fueron presentadas ante la augusta autoridad puebleriana, el alcalde Gervasio Lázaro, quien, instigado por los notables de la comarca, sobre todo el señor cura, les formuló un juicio sumarísimo y los llevó al paredón de fusilamiento. La sentencia, desenterrada en 1901 por el escritor Tobías Rosa, incluía no sólo la supresión de la vida de los "réprobos" y "herejes, sino también el escarnio de sus cadáveres en las calles del villorrio. Asimismo, para enseñanza de los habitantes de la comarca, el documento ordenaba propinarles cien zurriagazos a quienes eran considerados como discípulos de los "brujos" en una escuela que éstos habían organizado con el fin de alfabetizar a sus coterráneos.

Como era de esperarse en un pueblo remoto de la Honduras del siglo XIX, aquella bárbara sentencia se ejecutó al pie de la letra, sin cambiarle ninguna tilde. Un ilamatepequense honesto y sensato que, bebiéndose el aire, fue hasta la cabecera departamental para poner en conocimiento de las autoridades superiores la ejecución de tamaño desaguisado, no pudo llegar ni volver a tiempo para impedir el crimen. Cuando la comisión nombrada al efecto se hizo presente en Ilama con el propósito de exigir la entrega de los prisioneros, éstos se encontraban ya bajo tierra en una colina de las proximidades, aledaña a la majestuosa corriente del río Ulúa. A causa de eso, y en vista de que se trataba de un crimen colectivo, todo el pueblo devino enjuiciado como homicida. Fue hasta enero de 1847, cuando, gracias a las diligencias del representante de Santa Bárbara en el Congreso, Saturnino Bográn, dicho expediente fue suspendido bajo la tesis de que fueron la "ignorancia" y la "superstición" las principales promotoras del asesinato. Por supuesto, el Decreto respectivo contiene una seria advertencia para los aldeanos: "si bien el Soberano Cuerpo ha podido inclinar su paternal benevolencia para apartarlos del condigno castigo a la ejecución de un hecho que la ley condena, es precisamente con la condición de sucesiva enmienda y de la formal protesta de vivir subordinados y sometidos a su rígida y puntual observancia".

Sin embargo, el asesinato de aquellos campesinos de llama no fue exactamente el producto de la "ignorancia" y la "superstición", como piadosamente estableció la Cámara de Diputados para decretar el indulto en favor de todo el municipio. Ignorantes y supersticiosos eran, sin duda alguna, amplios sectores de aquel pueblo, pero no puede afirmarse otro tanto del alcalde, Gervasio Lázaro; el escribano, Juan. A. López; el cura y los jefes de las principales familias de la comarca. Estas personas conocían las ideas democráticas y revolucionarias de los encausados, dada la participación de los mismos en el ejército de Morazán, y, como entonces se vivía lo que Ramón Rosa llamó "el triunfo de las fuerzas inquisitoriales", aquellos hombres estaban condenados a morir para expiar el crimen de haber seguido a su jefe en el intento de transformar las caducas instituciones sostenidas por la aristocracia centroamericana y los sectores más recalcitrantes de la iglesia. La ignorancia y la superstición fueron solamente el instrumento de aquel asesinato, pero detrás de ellas estaba la acción consciente de los enemigos de la causa morazanista. Por eso, el último considerando de la brutal sentencia, dice: "que, según los informes dados por los mismos Cano, han acompañado en sus correrías de Gualcho, La Trinidad, San Pedro Perulapán, Guatemala y Costa Rica al bandido de Chico Morazán, ultimado recientemente para beneficio de Centroamérica por los patriotas de Costa Rica; y que, siendo dicho Morazán enemigo de nuestro país, son también considerados como tales los que acompañaban aquel tiranuelo nefasto. . ."

Morazán fue fusilado en San José de Costa Rica el 15 de septiembre de 1842. Las fuerzas más reaccionarias de la Centroamérica de entonces, constituidas por la aristocracia istmeña, la iglesia feudal y el colonialismo inglés, se confabularon para cortar de tajo el empeño de aquel visionario, interesado únicamente en transformar las podridas estructuras económicas y políticas predominantes en los cinco países de la antigua Capitanía General de Guatemala. El asesinato de Morazán fue la culminación de una persistente actividad contrarrevolucionaria, iniciada por las minorías oscurantistas del Istmo, no sólo desde los comienzos de la acción transformadora del héroe de Gualcho, sino incluso desde los primeros esfuerzos de los patriotas centroamericanos por lograr la independencia nacional. Cobrada la cabeza de Morazán, los triunfadores ultrarreaccionarios, temerosos de que reverdecieran sus ideas, se lanzaron a perseguir y a liquidar físicamente a los hombres de su ejército. Por supuesto, en algunos casos, para que tales crímenes no pusieran tan en evidencia la naturaleza cavernícola de sus autores, se recurrió al expediente de sacramentarlos con el velo de la lucha contra la hechicería y la magia.

¿Qué se propuso Morazán y por qué no pudo, para desgracia de estos pueblos, culminar su obra transformadora? Trató de llevar a cabo una revolución democrático-burguesa en los cinco países de la Federación Centroamericana como medio para mantenerlos unidos, lograr su desarrollo multilateral y situarlos en una posición decorosa respecto a los demás países del mundo. Los estudios sobre la revolución francesa y el pensamiento vanguardista generado bajo el influjo de la misma, llevaron a Morazán a concebir el proyecto de enfrentarse a la aristocracia feudal y a su gran auxiliar en los dominios de la conciencia: el fanatismo religioso, promovido por una iglesia al servicio de las clases dominantes. Esta lucha era necesaria, indispensable, para abrirle nuevos cauces al desarrollo de la sociedad centroamericana, pues la independencia de 1821, por haberse dado sin batallas frontales y como parte de una maniobra de las clases poseedoras para continuar detentando el poder económico y político de Centroamérica, fue incapaz de transformar la estructura generada por el colonialismo español. "Nuestra independencia —escribió Ramón Rosa— si bien fue preparada por algunos movimientos de insurrección y por la expresión acentuada de ideas de libertad, no obstante llegó a proclamarse el 15 de septiembre de 1821, no al favor de pujantes esfuerzos, sino más bien al favor de las circunstancias".

La revolución democrático-burguesa impulsada por Morazán con una gran decisión en sus actos, aunque no siempre con la necesaria claridad ideológica, involucraba todo un programa contra la aristocracia feudal, la iglesia recalcitrante y el colonialismo inglés. Gran parte de ese programa lo llevó a cabo el héroe de Gualcho en su condición de Presidente de la República Federal de Centroamérica, electo por dos períodos consecutivos, de 1830 a 1838. Ese programa era muy amplio y fue realizado en su parte política, aún bajo la feroz hostilidad de las clases despojadas del poder, según puede verse en la apretada síntesis del gran morazanista y revolucionario, José Francisco Barrundia: "las instituciones más libres y generosas fueron puestas en práctica: la libertad de cultos, la electoral del pueblo, las garantías individuales más eminentes, la seguridad más plena de la conciencia, el establecimiento de jurados, de la ley de *Hábeas Corpus,* de un Código Penal, el más filosófico y equitativo. . . En instrucción pública se entabló una enseñanza bien organizada, bien dotada y sin traba que tuvo por resultado una juventud la más estudiosa e instruida que hubo en la época. En el progreso material, caminos y obras públicas y el plan de canalización de los dos mares contratado con el Rey de Holanda bajo las condiciones más ventajosas al país''.

A la aristocracia feudal la golpeó Morazán mediante una serie de medidas encaminadas a suprimir sus privilegios y a poner en práctica los principios liberales sobre la igualdad ante la ley y el respeto a los derechos del hombre. Naturalmente, la aristocracia centroamericana, concentrada fundamentalmente en Guatemala, rechazó estos ensayos democratizantes e igualitaristas, pues ella era la heredera de los privilegios detentados durante la época de la colonia por los conquistadores peninsulares. Gracias a esos privilegios, los aristócratas explotaban sin misericordia a las masas campesinas dentro de sus extensas propiedades, ocupaban los cargos de mayor autoridad y tenían patente de corso para hacer su real gana en todas las cuestiones de su conveniencia. El hecho de que en Guatemala se concentraba la mayor parte de la aristocracia istmeña, con un núcleo de las más empingorotadas familias de origen europeo, determinó la agudización allí de las contradicciones entre los dos sectores antagónicos. Así lo confirmaba Lorenzo Montúfar al escribir: "la mayoría de los guatemaltecos simpatizaban con Morazán, pero era a éste a quien combatían, como es natural, los serviles, aristócratas y fanáticos que aspiraban al predominio de un corto número de personas o sea de lo que entonces se llamó *espíritu de familia".*

A la iglesia recalcitrante la golpeó **Morazán** por medio de tres medidas realmente drásticas, ajustadas en un todo a la esencia del enciclopedismo francés: la expulsión del Arzobispo Casaus y numerosos frailes contrarrevolucionarios, a quienes envió hacia La Habana el 11 de julio de 1829; la supresión de los conventos (en Centroamérica había un total de 34) y el paso a manos del Estado de todos los bienes de dichas instituciones; y, finalmente, la promulgación de la libertad de cultos el 2 de mayo de 1932, ya que la Constitución Federal de 1824 establecía la exclusividad de la religión católica. En respuesta a estas medidas, la iglesia se lanzó a una conspiración abierta contra Morazán, utilizando para ello todas las armas, entre las cuales la superchería fue una de las más empleadas. Lo demuestra, entre otras cosas, la actividad de la monja Santa Teresa, hermana del marqués de Aycinena, quien decía recibir cartas de los ángeles, en cuyos textos, plagados de errores ortográficos, se llamaba al pueblo católico a la insurrección antimorazanista. Por eso dice justamente Alejandro Marure: "con estas supercherías, fingiendo milagros, inventando castigos del cielo, fulminando anatemas, se procuraba atraer sobre los amigos de la independencia la execración de los pueblos crédulos". Rosa, mientras tanto, exclama enardecido: "¡Oh, religión, qué de crímenes se cometen en tu nombre!"

Pero Morazán también se enfrentó al colonialismo inglés en momentos en que éste intentaba poner firmemente su planta en Centroamérica, no sólo mediante una decisiva influencia económica, sino también apoderándose de importantes territorios del Istmo. Mientras el héroe de La Trinidad estuvo a la cabeza del Gobierno Federal, los colonialistas ingleses no pudieron lograr sus pretensiones, por cuya razón se convirtieron en furibundos enemigos de la unidad centroamericana y firmes aliados de los caudillos aldeanos que lucharon por desmembrarla. Son célebres las correrías del Cónsul inglés, Federico Chatfield, inmediatamente después de asesinado Morazán para apoderarse de la Mosquitia hondureña-nicaragüense; la Isla del Tigre, en Honduras, y el puerto de San Juan, en Nicaragua. Al comentar estos hechos, dice el historiador Medardo Mejía: "hasta entonces descubrieron algunos políticos y estadistas centroamericanos la razón que asistía al funesto Chatfield para trabajar en contra de Morazán y de la Federación y en favor de los caudillos montañeses y de la causa separatista".

Una de las cuestiones que más desagradó a los colonialistas ingleses fue el proyecto de Morazán sobre la construcción de un canal interoceánico en territorio nicaragüense con fondos del Gobierno Federal. Ya en carta de Barrundia a Morazán, fechada el 22 de junio de 1830, aquél le decía al recién electo Presidente de la Federación: "el gran negocio del canal de Nicaragua presenta a usted la más bella ocasión de una empresa grandiosa, digna de su ambición y de su nombre. Este negocio va muy bien. Si las propuestas se aprueban y verifican, usted tendrá el indecible placer de hacer en su tiempo la gran revolución comercial que va a trastornar el mundo en favor nuestro y de ponernos en una actitud respetable contra las pretensiones de todos nuestros vecinos. Después de dar el triunfo a la Constitución, después de expeler el monstruo del fanatismo y de las reacciones y purgarnos de frailes y de refractarios, no es un objeto de menos valer hacernos el emporio de las relaciones del mundo". En su discurso de toma de posesión de la Presidencia, el propio Morazán dijo lo siguiente sobre el mismo punto: "esta obra, grandiosa por su objeto y por sus resultados, tendrá el lugar que merece en mi consideración; y si yo logro destruir siquiera los obstáculos que se opongan a su práctica, satisfaré en parte los deseos de servir a mi patria".

Finalmente, el 15 de febrero de 1842, cuando Morazán regresa a Centroamérica de su exilio en Perú, llamado por el gobierno de Nicaragua con motivo de la ocupación del puerto de San Juan por parte de los ingleses, dice en un mensaje enviado desde La Unión, El Salvador, a todos los pueblos: "la ocupación de una parte de la Costa Norte por un pueblo extraño como el de los moscos, no podrá verse nunca con indiferencia, porque equivale a perder para siempre un terreno que será con el tiempo a la República de gran utilidad, y porque la tolerancia de un hecho de tanta magnitud prepararía otro de igual naturaleza y de mayor trascendencia para lo sucesivo; pero la ocupación de San Juan del Norte, ejecutada por ese mismo pueblo, es un golpe de muerte para la República, porque a mi modo de ver está cifrada su existencia nacional, la consolidación de un gobierno y su bienestar y grandeza, en la apertura del gran canal mecánico por el propio puerto de San Juan". Morazán no pudo "destruir los obstáculos" que se oponían a esa obra y fue asesinado por las fuerzas que rechazaban no sólo ese proyecto, sino también todo el programa revolucionario.

La revolución democrático-burguesa planteada por Morazán era un ideal irrealizable bajo las condiciones de los países centroamericanos de la época. En ellos las fuerzas productivas se encontraban sumamente atrasadas, sin sobrepasar aún los niveles precapitalistas, y la estructura social estaba constituida fundamentalmente por extensas capas de campesinos semisiervos y una minoría de aristócratas feudales. No había surgido, por lo tanto, la clase social capaz de encabezar la revolución antes dicha y de vencer, por su fuerza económica y política, a una oposición recalcitrante; heredera directa de los privilegios coloniales. Esa clase era la burguesía, cuyos destacamentos esenciales aún se encontraban en cierne dentro de la estructura económica del Istmo. Por falta de dicha clase, Morazán se apoyó básicamente en las masas campesinas, las que fueron decisivas en la primera etapa de la lucha revolucionaria, cuando ésta tomó necesariamente las formas de una confrontación militar. Sin embargo, una vez vencidos los contrarrevolucionarios en una serie de grandes combates que pusieron de relieve el genio estratégico de Morazán, la revolución pasó a una segunda etapa, caracterizada por el predominio de la confrontación económica, es decir, una confrontación en la que no sólo era necesario derrotar a los enemigos de los cambios, sino eliminarlos como clase. Para este esfuerzo, las masas campesinas ya no eran suficientes y se necesitaba la presencia de la burguesía, claramente definida y con capacidad para reestructurar el orden social sobre fundamentos modernos. La falta de la misma, determinó la derrota de Morazán y, finalmente, su asesinato.

La reacción feudal, encabezada por el bárbaro Rafael Carrera, tomó de nuevo posiciones hegemónicas en cada uno de los países centroamericanos. De inmediato se puso en marcha un programa de represión contra las dispersas legiones morazanistas y de retorno a los privilegios establecidos por ella desde la época de la dominación española. Ramón Rosa describe así este retorno a un pasado ominoso: "la revolución del año de 29, llevada a cabo por los esfuerzos de un genio extraordinario, fue muy incompleta en lo social y muy amplia y completa en lo político. Y ¿qué sucedió? Que habiendo quedado muchos elementos coloniales en la composición del organismo social, los hombres del retroceso, fuertes aún con el poder que les pertenecía, aprovecháronse de las mismas libertades públicas, no para usar de ellas dignamente, sino para desvirtuarlas y causar su descrédito, su ruina. Perdidos fueron los trabajos de diez años, vana fue la perseverancia de toda una generación que se empeñó, sin darse punto de reposo, en llevar a cabo las consecuencias legítimas de la independencia patria. La reacción vino más implacable y feroz: hizo trizas la nación centroamericana que apareciera ante el mundo, grande, noble y respetable: condenó al olvido y al desprecio las instituciones más veneradas de la nacionalidad: desvió el curso natural del comercio: alentó las preocupaciones: dio pávulo a la ignorancia de los pueblos; estimuló la intolerancia civil y religiosa; y ¡ay! para los mejores hijos de la patria se decretó el ostracismo y se levantaron mil patíbulos".

Ramón Amaya-Amador recoge en su novela "Los Brujos de Ilamatepeque" uno de los tantos hechos brutales que se cometieron contra los morazanistas después de la caída de su jefe en San José de Costa Rica. Cuando ese acaecimiento tuvo lugar, desempeñaba la Presidencia de la República de Honduras el ex-sacristán Francisco Ferrera, quien en las primeras etapas de su vida política fue un excelente soldado de la Revolución morazanista, pero que, posteriormente, a partir de 1833, se vinculó a la más cruda reacción centroamericana para terminar convirtiéndose en un acérrimo enemigo de las transformaciones impulsadas por Morazán. Al describir la conducta de Ferrera como gobernante de Honduras, Ramón Rosa se expresa en la siguiente forma: "obró como militar y político, pero también como tirano despiadado; sembró el terror; una sola sospecha bastaba para

12

producir la persecución o la muerte; el patíbulo estaba a la orden del día; allí fueron inmolados patriotas generosos, acreedores al perdón; corrían por doquier arroyos de sangre y raudales de lágrimas". Dos de esos "patriotas generosos" fueron los Cano, quienes tuvieron la desgracia de retornar a Honduras cuando el sacristán de Cantarranas había creado tales condiciones en el país que el alcalde de llamatepeque se consideró con suficiente autoridad para fusilar a estos dos morazanistas leales e inofensivos.

El novelista Ramón Amaya-Amador es fiel a la historia en su relato. Quien lea el libro con detenimiento, notará cómo el autor sigue al pie de la letra la sentencia dictada contra los Cano, y la sigue no sólo respecto a los hechos imputados a las víctimas, sino también en lo que se refiere a los personajes reales. La sentencia antes referida aparece completa en las últimas páginas de la novela, como parte de su desenlace. El aporte creador del novelista consistió, por lo tanto, en imaginar las circunstancias de los hechos ya recogidos por la crónica e incertarlos como parte de la cotidianidad del pueblo donde tuvieron lugar. Se trata, pues, de una obra sencilla, sin complicaciones de ninguna clase. El relato está escrito con un lenguaje llano, despojado de rebuscamientos literarios. Todo esto hace de "Los Brujos de llamatepeque una obra interesante, en la que Amaya-Amador ensaya por primera vez la modalidad histórica de la novela. Su lectura tiene la virtud de trasladarnos a un hecho trágico de la historia centroamericana: la caída de la revolución morazanista y el retorno de la "reacción inquisitorial" a nuestros países, cuyas sombras espesas aún hacen sentir sus efectos paralizantes. Por eso dijo Rosa con gran ironía: "vencido Morazán, se arrancaron del suelo centroamericano los últimos vástagos de la libertad, o de la anarquía, como la llamaba Aycinena; pero, en cambio, el caite del salvaje Carrera quedó impreso en la cara de la humillada seudoaristocracia guatemalteca".

El retorno de los hermanos

Libro primero

EL REGRESO

Se han detenido en la colina dos hombres descalzos, medianos de estatura, robustos, de legítima estirpe indígena. Sus sombreros empalmados, de ilama, están sucios, como sus pantalones y camisas de manta-dril. Cada uno lleva su maleta cargada con mecapal y su cuchillo envainado, pendiente del cinturón de cuero.

Ambos se han detenido para contemplar con regocijo el poblado de Ilamatepeque, tendido a sus pies en la planicie, junto al río Ulúa, en el departamento de Santa Bárbara. Una sonrisa grata ilumina sus rostros cobrizos y tostados de soles y vientos. Les embarga la emoción del retorno a su pueblo, después de tantos años de ausencia. Y, no obstante el tiempo, parece que nada ha cambiado. Ahí está la iglesia, aún sin repellar, con sus altas torres y su silencio; quizás es la misma cruz del perdón, frente a la plaza quieta, donde los burros sestean bajo los jiquilites. Allá, el Cabildo Municipal, o sea la Sala Consistorial, con su misma puerta ancha y su corredor de pilastras blancas, donde el Alcalde solía reunir al pueblo para las grandes determinaciones comunales. La casa blanca, encalada, de Gervasio Lázaro, el buen don Gervasio, que les arrendaba tierras para sus maizales y frijolares. También se ve la casa de don Antonio Tróchez, con su cerco de piedra y sus árboles frutales, donde siempre vigilaban unos perros terribles. Don Antonio era el padrino de casi todos los jóvenes del lugar. Se contemplaban, asimismo, el Barrio Arriba y el Barrio Abajo. Además, las barracas antiguas, en cuyos patios rojizos, las mujeres tejían obras de palma o elaboraban el mezcal del henequén para los señores de Santa Bárbara.

Los dos hombres se beben todo el panorama bucólico del pueblo con sed de cariño y de recuerdos. Ahí pasaron su niñez y su adolescencia; ahí aprendieron a trabajar y a endurecer la vida en las labores campesinas, junto a los ilamatepeques, sus hermanos de sangre y religión.

—¡Al fin, mano Teo! ¡Hacía un tiempal que no mirábamos nuestro pueblo! ¡Está igualito!

—Ni más ni menos. Mire: hasta el mismo palo ensebado para los cipotes, en las fiestas de San Cristóbal.

—Pero muchas gentes deben haber "pelado el ojo"

—Eso sí, manito, aunque aquí, a lo mejor, ni "la pelona" pasa.

Ríen con más anchura y, a pasos largos, bajan la colina por el sendero pedregoso. Les entusiasman los maizales en flor, los ayotales y sandiales, que ya tienen frutos; los zanates y las pionas, impacientes en espera de las mazorcas que han de devorar, aún en contra de la presencia de los espanta-pájaros y los gritos de los hombres enojados.

Cipriano y Doroteo Cano, hijos de la misma sangre, van contentos hacia donde está ubicada su casa antigua, al otro lado del pueblo, y donde estarán sus progenitores, sin pensar que sus hijos vienen de regreso. ¡Qué sorpresa se van a llevar los viejos al ver llegar a sus hijos, por tanto tiempo perdidos! Los pensamientos gratos de los dos hombres, relinchan como potros en la llanura.

En la ribera sombreada del Ulúa, hay varias mujeres, indígenas como ellos; lavan el maíz cocido, para tortillas, utilizando grandes guacales, mientras otras muchachas, conversando animadamente, llenan tinajas de barro con agua transparente para llevarla a sus casas, cargándola en la cabeza sobre un yagual. Todas andan descalzas.

—Buenas tardes, niñas.

—Buenas tardes, cristianos.

Por mucho que ellos escrutan, queriendo reconocer a alguna de las muchachas, es muy difícil. Son caras desconocidas. En voz baja, las mujeres se preguntan que quiénes serán esos forasteros porque ninguna los conoce. Es hasta después de pasar el río Ulúa, cuando van trotando hacia las chozas del

Barrio Abajo, a orillas del poblado, que una mujer madura, Narcisa López, sacando de su baúl de recuerdos hasta el último trapo, reconoce a los hombres.

—¡Esos dos no son forasteros: ellos son Cipriano y Doroteo Cano, los hijos del finado Chilo! ¡Vaya, si aquí todo el mundo los creía muertos!

¿Los hermanos Cano?

—Sí, mujer. Son ellos. Lo podría jurar. ¿Dónde andarían perdidos tantos años?

—Sepa macho. Los hombres son piedras que andan, pero siempre vuelven a su cerro.

—¡Ah! ¿Son los Canito? —exclama una de las lavadoras de maíz, asustada— ¡Válganos la Virgen de los Desamparados! ¡El "Coludo" viene con ellos!

—¿Por qué, mujer? ¡Vos estás loca! Son buenas gentes.

—¡Codo! Aquí se supo que eran de los que andaban con el tal Chico Morazán, a quien Dios tenga en los avernos.

—No hay que hablar así; nadie sabe de dónde vienen y ya vos estás con la lengua larga.

Aquello fue suficiente para que en llamatepeque se enteraran del retorno de los hermanos Cano, oriundos del lugar. Ellos, por los solares baldíos, van casi corriendo hacia su antigua choza. Están apurados por abrazar a sus padres. Sin embargo, al llegar quedan perplejos; la casa está cerrada, abandonada. El patio lleno de hierbas altas; las paredes derruidas; una puerta quebrada y abierta, por donde se meten los chanchos, ratones, lagartijas, alimañas y víboras. La cocina, caída en parte. Todo ruinas; todo abandonado. Hasta el sangarro del patio donde molían cañas, está inutilizado.

—Se me hace que algo pasó a los viejos —dice Cipriano con el corazón impulsivo; pero no dice la palabra que puede dar forma a su pensamiento.

—Si se habrán muerto, mano. . .

Abren las puertas carcomidas y hacen huir a media docena de cerdos que estaban adentro. Huele mal. Una solera está caída. Hay muebles viejos; una cama forrada de cuero; una mesa paticoja; unos taburetes sin sentadera; ollas de barro quebradas y una serie de cosas en desorden y cubiertas de polvo. Se ven telarañas en las soleras y el techo, y penden avisperos de las cañas bravas.

Cipriano, el más joven, sale al patio. La casa más cercana es la de su primo, Pedro Cano. Va a dar gritos, cuando ve venir hacia la casa abandonada a varias personas inquietas, recelosas, descalzas. Indios como ellos. Pero esta vez Cipriano les reconoce y va a su encuentro emocionado.

— ¡Pedro!

— ¡Primo Cipriano! ¡Primo Teo!

Es un hombre avejentado, más bajo que ellos, delgaducho, pero con el abdómen prominente, quizá a causa de alguna enfermedad; su piel se ve amarillenta, terrosa, sucia. Se abrazan y, un momento después, Pedro con palabra temblorosa, explica:

—Tío Chilo y Ña Lupa. . . pues murieron. . . Dios los tenga en su reino. . .

— ¿Cuándo? ¿Cómo? ¿De qué?

—Hace ya. . . haber. . . Cuatro años. Como nadie daba razón de ustedes, no se les pudo avisar. Murieron cuando la peste, seguiditos, uno tras otro, día de por medio; primero Ña Lupa y después mi tío. Los enterramos juntitos. Así como anduvieron en vida, así también fueron a la gloria eterna. ¡Ay, fue un tiempo bárbaro ese de la peste, primos!

—Pobrecitos mis tatas. —Lamenta Doroteo, con tristeza.

—No haber sabido antes. . . qué mala suerte. . .

—Dios, primos. ¡Es la voluntad de Dios!

Los otros son vecinos. Eusebio Berdugo y Marcos López, hombres de la misma edad de los Cano y quienes, recor-
dándoles, les estrecha la diestra con cierto recelo, que no
advierten los anteriores por su emoción. Pedro les relata cómo
después de la muerte de sus padres, la casa quedó abandonada y, con el tiempo, ya estaba para caerse toda. Mientras, los
otros escuchan con preocupación, como si no quisieran que
los viesen allí, o quizá por su carácter huidizo y huraño.

—¿Y qué piensan hacer ahora, primos?

—¿Y qué? Pues reparar la choza y vivir.

—Pero así como está no se puede ni entrar.

Pedro mira la casa semiderruída y se nota en su sem-
blante la pesadumbre. Ellos son sus únicos parientes que le
quedan. Al fin, como tomando una gran determinación, les
ofrece:

—Ahí está mi jacal, primos. Mientras ustedes reparan éste, quédense allá. Es pequeño, pero cabremos todos.

—Gracias, primo Pedro. Se lo agradeceremos de todo corazón.

Y, tomando sus maletas, pasan a la próxima barraca, a
unos doscientos metros de la suya, seguidos de los tres hombres. A pesar de que todos andan descalzos y vestidos de sucia manta, se nota en el hablar profunda diferencia. Los hermanos Cano hablan con firmeza, viendo de frente, con viveza
en sus gestos y ademanes. Los otros, en cambio, se esquivan
huraños, contestan con evasivas, como con miedo y desvian-
do sus miradas de los ojos de ellos.

—Pasen adelante —invita Pedro. —¡María, vení a ver
quiénes están aquí de vuelta!

Una mujer, ya vieja, también descalza, de trenzas atadas
por detrás de la cabeza, faltándole los dientes, viene a saludar,

21

limpiándose las manos oscuras en la falda de un vestido que ya no tiene color determinado por el continuo uso.

—Para servirles —saluda, queriendo sonreír.

—Igualmente, María. ¿Ya no nos conoce?

—Yo sí. ¿Cómo no voy a conocerlos? Hace mucho que se fueron del pueblo, pero casi no han cambiado. Mándense a sentar. Les voy a servir café.

—No se preocupe por nosotros —dice Doroteo—, aquí traemos algunas cositas para echarle a la tripa.

Depositaron sus maletas en una esquina de la sala, que es toda la barraca de tierra. Doroteo abre la suya y extrae algunos paquetes con víveres, los que entrega a María. Toman asiento, echándose aire con los sombreros. En la cocina hay media docena de muchachos, varones y mujeres, que asoman la cabeza curiosos. Son los hijos de Pedro y María. Pedro los va llamando, uno por uno, presentándolos a sus primos. Estos tienen frases cordiales para todos los muchachos, pero los chicos son huraños y corren a esconderse nuevamente a la cocina.

—Nos vamos —dice Berdugo—; ya los saludamos. —Y, señalando a otras gentes indígenas que se aproximan:

—Vean cómo se vienen rejuntando los paisanos a saconear su llegada.

—Hay razón, Eusebio —contesta Cipriano—, son buenos amigos.

—Eso de amigos —señala Pedro, con seriedad y misterio— lo vamos a probar. —Y, ya cuando los dos vecinos se alejaban a pasos largos, les cuenta: —La verdá, primos, es que aquí se les ha levantado un bullón de Cristo y señor mío. Ustedes saben cómo es esta gente de inventora de mentiras contra los cristianos. Aquí se ha dicho que ustedes dos eran soldados de Chico Morazán; creo que hasta el Señor Cura lo ha dicho en varios sermones.

22

—Pues no dicen mentira, primo Pedro.

—Todos estos años hemos sido soldados del General.

—Pues yo les digo que mejor no lo informen a nadie.

Pedro arruga el entrecejo. Lo peor que podía esperar era eso. Que hubieran robado, matado o forzado, podría ser algo dispensable, pero ser partidario de ese impío, era un crimen monstruoso. No obstante, Pedro guarda un silencio timorato, arrepentido de haberse emocionado y traídoles a su casa, sin suponer que eran de esos revoltosos tan comentados y temidos por las gentes honradas.

—Sírvanse café; si les falta dulce, avisen.

—Gracias, María; el mejor café siempre es negro y amargo.

Los muchachos juegan en el patio, mientras van llegando vecinos curiosos a enterarse si es verdad la noticia del regreso de los hermanos Cano, pues en Ilamatepeque se comenta por todas partes ese hecho. Ya viene el anochecer y el viento es refrescante, con olores vegetales.

A LA LUZ DE LA HOGUERA

En llamatepeque la llegada de los Cano causó un revuelo singular. Viejos, jóvenes y niños trataban del regreso de los dos hombres, que eran sus paisanos. En los pueblos chicos eso es normal; pero, en este caso, había otras razones para que todo el mundo tuviera sus nombres en la boca.

Desde la caída del gobierno Federal del General Francisco Morazán, que trajo como consecuencias el rompimiento de la Federación de Estados de Centroamérica y el retorno al poder de los conservadores clericales, apoyados por el General Rafael Carrera, jefe de Guatemala, y Francisco Ferrera, jefe de Honduras, en los pueblos se había retornado a una situación colonial y los círculos liberales morazanistas eran objeto de virulenta represión. La revancha reaccionaria contra los unionistas se manifestaba a través de un odio mortal, y la propaganda antimorazanista de los gobiernos culminaba en los púlpitos y confesionarios.

En llamatepeque, pueblo indígena, atrasado y dominado por hombres como Gervasio Lázaro, el alcalde, y Antonio Tróchez, el Síndico Municipal, hombres viejos, sin ideas, pero cargados de prejuicios, se había levantado una ola antimorazanista que rayaba en el fanatismo. Por eso, la llegada de los hermanos Cano acentuó esas pasiones, ya que había indicios de que ellos integraron los ejércitos del General Morazán; y, si esto era cierto, los honorables del pueblo, y el pueblo todo, no podrían tolerar su presencia, excomulgada por la Iglesia y condenada por el supremo Gobierno.

Muchos, con el Alcalde y el Síndico a la cabeza, afirmaban que los Cano eran de los impíos morazanistas. Otro sector dudaba, porque, decían ellos, los habían conocido desde niños, así como a sus padres, que fueron devotos católicos, apostólicos y romanos. Había en el pueblo dos partidos frente a los Cano, en pro y en contra, aunque, en el fondo, todos

25

consideraban como un crimen haber andado en los ejércitos de Francisco Morazán, a quien llamaban el Anticristo. Pero, por la costumbre poblana, aquello solamente lo discutían a espaldas de los Cano; ya frente a ellos, callaban hipócritamente y eludían el problema.

Con excepción de Pedro, nadie se atrevió a interrogarles por la verdad de las suposiciones. Por otra parte, Cipriano y Doroteo no eran hombres a los que se les podía hacer muchas preguntas porque estaban precedidos de la fama de ser bravos, ágiles y diestros con el machete; así habían sido desde cipotes. ¿Para qué exponerse a un embrollo? Además, los Cano eran hombres distintos hasta en el lenguaje y los vecinos se sentían pequeños en su presencia, pues desconocían los lugares distantes a donde fueran los Cano, según las historietas.

Esa noche del ingreso de los hermanos, en la choza de Pedro Cano se reúne mucha gente, incluso del Barrio Abajo. La casa de Pedro queda a la salida del pueblo, en el Barrio Arriba. Quieren verles y escucharles. Algunos, por la curiosidad de ver si tienen en la frente la marca de los endemoniados; otros, para expresarles su cariño de paisanos.

En el patio de la barraca, las fogatas de ocote chisporrotean porque el viento les da manotazos; éste viene refunfuñando porque quizá le sigue la tormenta. Cipriano Cano, quien es extrovertido, monopoliza las conversaciones. Diez años habían pasado desde que salieron de Ilamatepeque y ahora les interesaba saber cuántas cosas de sus gentes a lo largo de ese lapso. Por eso hacían toda clase de preguntas.

Han llegado, el sombrerero Bartolo Durán con su mujer, Cándida, y su hija, Eulalia, muchacha simpática y cordial, a quien todos llaman Laya. Está El Tuerto Simón, tan viejo que ya ni él mismo sabe de su edad, pero que todavía tiene fama de curandero y de hombre que conoce la historia de todo el mundo. El tío Joaquín Montoya, con sus tres hijos mocetones: el mayor, Lucas, apenas tenía doce años cuando los dos Cano se fueron del pueblo; Serafín y Cristóbal, parecen de la misma edad. A los tres se les conoce por el apodo de "Los

Tres Macacos", por sus rasgos y porque siempre andaban juntos. Está Martha Sánchez, mujer obesa que padece de hidropesía, pero de la cual todos dicen que la han embrujado. Juan González, el mejor herrero de toda la comarca, quien a causa de su oficio, tiene en piernas y brazos quemaduras que a veces se le hacen llagas. Chebo Berdugo y su inseparable amigo, Marco López, hombres que trabajan la palma haciendo sombreros para el señor Gervasio Lázaro, mayorista de esa mercancía. Con Laya se encontraban Fulgencia y Tobías Cortez, hijos ambos de Casimiro Cortez. Muchos cipotes jugaban con los hijos de Pedro.

La conversación es animada y Cipriano hace hablar a todos, a pesar de su hurañez. Cipriano y Doroteo están siendo tratados como si fueran personas de la ciudad santabarbarense. Aunque sus vestidos también son de manta-dril, su lenguaje, sus gestos, son ya de gente instruida. Algunos les admiran sinceramente y el viejo Bartolo les trata con cariño paternal. A invitación de Cipriano, cuentan:

—Uff. . . ¿la Matea Cacho, la nana del "güegüecho" Julián? —dice el herrero—. Tiempal que es finada. ¡Pobrecita! ¡Le echaron maleficio. Le dio una cagadera que hasta se desangró por el culo. Dicen que fue toma de camotillo de la Ignacia, de Zapote Alto, por celos del viejo Nicanor.

—¿Y a Nicanor todavía le gusta andar en brama?

—M'hijo —sentencia Bartolo—, gallina que come huevos. . .

—No hay que tirar palabras así porque sí —interviene su mujer, Cándida, remolineando un grueso puro—. Que Matea murió de mal, es verdá; pero que fue obra de mi comadre Nacha, es mentirota que, a quien la diga, se le va a atravesar en la puerta del cielo. Dios castiga. Mejor no tirar palabras sin saber.

—Vos siempre estás defendiendo a mi comadre. Y la misma Nacha dice en las cuatro esquinas, con bombo y platillos, que ella le zampó el veneno.

27

—Vea, don Cipriano, y usté, don Doroteo, —dice Cándida, con seriedad— la Matea Cacho murió de maleficio. Y fue que un día pasó un forastero y llegó a su casa para pedirle agua. En cuanto él se fue, izas, que le coge el mal! Fue una y otra. Al tercer día estaba muertecita de cagar ralo y sangre. Así fue, así como lo oye.

Es verdá— afirma El Tuerto Simón, lanzando una escupitina de tabaco.

Los gritos de los muchachos en los patios alumbrados de ocote, llegan ruidosos. Perros roñosos buscan riña por la conquista de una porquería descubierta entre las hierbas. Se oyen las voces de pájaros nocturnos que cruzan como huyendo por el viento inquieto. El cielo está oscuro y allá por el oriente comienzan los machetazos de los relámpagos.

—Pues sí —contesta Chebo Berdugo, indio hosco, macizo, con cuatro espinas de tuna queriendo ser bigotes—, es verdá; mi tata murió y que de Dios goce, pero fue que una noche en Semana Santa, le salió el Cadejo. ¡Dios me guarde! Detrás de la Iglesia! Andaba con sus tragos. Cuando oímos, fueron los gritos. Venía espantado, como si hubiera visto al propio "Coludo" ¡Dios me guarde! Ni hablar podía. Al momentito, dijimos: "Es azoro", y así fue. Hasta que le rezamos siete credos y siete ave-marías pudo contar el azoro. Fue el Cadejo que le salió. Lo regolpió y, si no corre, lo malmata.

—¿Y de eso murió?

—Desde ese día, por más que rezamos y le dimos agua bendita, lo bañamos con ruda, cortada en viernes, y le hicimos todo lo cristiano, ya mi tata no volvió a ver la luz buena. Al golpearlo el Cadejo, le metió mal en los sesos. Se atontó para siempre. ¡Y de eso se fue al hoyo, que Dios lo tenga en santa gloria!

—¿Y todavía tomaba mucha "cususa"?

—Un poquito, no más. Tenía su "sacadera" —contestó el viejo Simón, que todo lo sabía.

Cada golpe de viento amenazaba apagar las llamas de las hogueras. "Los Tres Macacos" se turnaban fumando cachimba y escupiendo. A pesar del aire ventoso, se siente el fuerte olor del tabaco. Las muchachas, calladas, ponen oídos a las conversaciones, sin participar en ellas. Es irrespetuoso meterse en las cosas de los hombres; ellas comentarán al día siguiente, cuando vayan a traer agua al río.

—Hubo unos días —cuenta Juan González, el herrero, quien sólo viste calzones y tiene la piel muy quemada— que aquí no se podía vivir. Ja, hubieran visto: no había noche que no apareciera un espanto y azorara a un cristiano. Ya no se podía andar de noche. Hasta las necesidades se hacían en los patios para no ir al monte de noche. Como que todos los malos espíritus se hubieran venido a vivir a Ilamatepeque.

—Eso no era así porque sí —intervino El Tuerto Simón, con la firmeza de su sapiencia—. Aunque el Tata-Cura dijo que eran cosas del diablo, yo sé que tantos azoros los estaban haciendo las gentes de Chinda. Nunca nos han querido. Y para hacer brujerías, no hay quien se pinte como ellos. Allá, desde cipotes, ya saben hacerse chanchos y lechuzas.

—Eso es cierto —secunda Marcos López, despegando los labios por primera vez desde que dio las buenas noches—. Fíjese no más que, cuando hicimos el matahambre con todos en el Zanjón del Mico, todas las noches se nos venía a meter una manada de jagüillas y un lechucerío que daba miedo. Se llevaban las mazorcas enteritas. Una vez, con mi compa Chebo, ya sospechando que eran los de Chinda que nos robaban, le zampamos una tranquiada a una jagüilla, que casi la dejamos muerta. Y después supimos que el indio Roque Mena estaba que no podía levantarse de la "tutaneada" que había recibido. El era el brujo zamarro que nos venía a robar el maíz.

—Las cosas que he visto, m'hijos —se ufana Simón relampagueando su único ojo, como un farol—. Pero para todos los males hay su contra. Una vez yo agarré una bruja de aquí mismo. Esto era cuando todavía no se había muerto don Toño Barahona, el que estaba construyendo la iglesia. Ustedes deben acordarse de él y de su hijo Pedro Antonio, también albañil, que eran los dos chapines, de Guatemala.

—Tata —interrumpió Doroteo— y según miré hoy, como que no han concluido la iglesia.

—Dios no lo ha querido, hijo. Está lo mismito que como la dejó el finado Toñito; le falta el repello general, la cornisa y el enladrillado. Falta de dineritos.

—Pero así, ya dice misa en ella el Tata-Cura —afirmó Cándida, con voz de somnolienta.

—Déjenme seguir lo que yo contaba —pide el viejo masticador de tabaco en hoja—. Esa bruja había dado por molestar a mi hermano, el finado Chabelo, queriéndole chupar la sangre a su muchachita recién nacida. Todas las noches, desde como esta hora, ahí estaba la tal lechuza en el caballete de la casa. No los dejaba dormir y, por más rezos y maldiciones, no cejaba la vieja sinvergüenza. Chabelo me pidió consejo. "Déjamela", le dije, "yo te la voy a agarrar". Así fue, m'hijos. Yo ya tenía conocimiento dónde era que ella se convertía en lechuza; era al pie de un higuerito, en la orilla del río grande. La vigié. Llegó; se desnudó y se puso a dar vueltas a derecha y al revés alrededor del higuero. De repente, salió volando hecha lechuza. Agarré su ropa y me fui tranquilo a mi casa. Yo sabía que ese era el remedio.

—¿Y qué hizo después? —pregunta tímida, pero curiosamente, Fulgencia.

—¡Ayayay, m'hija! Al día siguiente no apareció la bruja en su casa y se hizo el escándalo. La buscaron como aguja y nada. Yo me reía. La otra noche, la lechuza en mi casa, mansita, chuando como si llorara. Entonces, tomé su ropa y me fui al higuero; la lechuza me siguió y, ya con la ropa ahí, al ratito estaba hecha gente, eso sí en pelota como Dios la echó al mundo.

—¿Y qué hizo usté? —pregunta socarronamente Cipriano.

—Le metí una paliza de Cristo y señor mío. Y la amonesté que si volvía a hacerse animala y a molestar a mi hermano o a otro vecino, la iba a dejar lechuza para siempre. Nunca más volvió a molestar a nadie. ¡Ja, conmigo no dan dos vuelos las brujas!

Los hijos de Pedro escandalizan riñendo en la cocina por un maíz tostado. María tuvo que ir hasta allá para ponerles orden. Cipriano, mientras tanto, se había sentado próximo a Eulalia Durán. Le atraía su cara morena, con aquellos ojazos oscuros y las trenzas largas, cayéndole sobre los senos altos y virginales. Eulalia notó el acercamiento del hombre y adoptó más circunspección para que sus padres no fueran a notar aquella afición. De soslayo lo veía y le gustaba su manera de hablar. Los adultos seguían conversando de espantos, maleficios y brujerías. Cipriano, con voz fanfarrona, dijo:

—Ojalá que ahora vuelvan los azoros y las brujerías. Nosotros dos somos más brujos que todos los de aquí juntos. ¿Verdad, mano Teo?

—Para nosotros no hay brujería que valga. Ni las balas nos entran.

—Eso no diga —rectifica Cipriano— porque en la Toma de Guatemala una bala si más lo manda al otro potrero, y, a mí, en San Pedro Perulapán, me metieron una en la pierna.

—Sí, mano, pero no morimos; por eso digo que ni las balas nos matan.

—Ese es otro cantar. Yo digo lo mismo. Que nos vengan con brujerías a nosotros y acabamos con los brujos.

—No, no —dice seriamente el Tuerto Simón, que no admite la incredulidad y menos una burla—. No hay que jugar con esas cosas. Que hay brujerías, las hay. No hay que reírse, no hay que burlarse.

—No son burlas, Simón —explica Cipriano; y, sacando un pañuelo bastante sucio, se puso de pie ante todos—. Miren: este es mi pañuelo. Véanlo. Tiéntenlo. —Y fue mostrándolo a

31

todos para que lo miraran con curiosidad, sin sospechar lo que Cipriano se proponía.

—Muy bien —prosiguió, doblándolo hasta hacerlo un nudo; luego comenzó a alzar y bajar el brazo, rotándolo sobre la cabeza.

— ¡Abracadabra, abracadabra, por los cuernos de la cabra! ¡Por mi voluntad y mi supremo poder, desaparece de mis manos!

Ante el asombro general, Cipriano abrió las manos. Estaban vacías: el pañuelo había desaparecido misteriosamente a la vista de todos. Una exclamación de asombro siguió y se arremolinaron todos. Cipriano daba vueltas riendo de la sorpresa. Luego permitió que Cristóbal le registrara los bolsillos, sin encontrar el pañuelo. Un rato más tarde Cipriano continuó su prestidigitación.

—¿Quieren saber dónde está el pañuelo? Búsquenlo cada quien en sus bolsas. Búsquenlo.

Todos buscaron con nerviosidad, hasta el Tuerto Simón que sabía de todo. Ninguno lo tenía. Cipriano, dijo:

—¿Layita: no me tiene usted por casualidad mi pañuelo?

—No, don Cipriano —contesta la muchacha casi temblando, mientras introducía sus manos trémulas en los bolsillos de su vestido—. No lo tengo.

—Fíjese bien, Layita. ¿En qué otro lugar esconde usted sus cosas, de no ser en los bolsillos?

Inmediatamente, Eulalia se lleva las manos al pecho, entre los senos macizos. Casi se desmaya del susto y, tomándolo con dos dedos, sacó del escondrijo íntimo el sucio pañuelo de Cipriano.

—¿Lo ven? —pregunta triunfal— ¡Para allá se había ido el pañuelo mágico! Y ustedes vieron que ni siquiera me aproximé a Layita.

—¡Válgame la Santísima Trinidad! —dice María, santiguándose con el susto estrangulado.

—¡Brujería! —murmuran varias voces— ¡Hechicería! ¡Son hechiceros!

—¿No les dije, pues? —recuerda riendo Doroteo— ¿Qué brujos nos pueden ganar? Nosotros tenemos poder para muchas cosas.

Y, ante el asombro general, sacó una moneda de a dos reales y comenzó a hacerla desaparecer y aparecer de una mano a otra sin que los presentes vieran más que el misterio de la traslación sorprendente.

Con aquellas demostraciones de malabarismo, los Cano se vieron rodeados de una admiración casi horrorosa de parte de algunos; y, aunque comenzaron a dar ciertas explicaciones de los secretos, no pocos se convencieron de que ello era hechicería pura. Pero continuaron riendo, aunque con cierto respeto.

—Layita, yo le voy a enseñar la suerte del pañuelo.

—¡Ni lo quiera Dios —dice Cándida, santiguándose—, esas son cosas malas! ¡No, don Cipriano, ni por un punto haga eso con mi hija!

—Pero, Cándida —intervino el padre—, si son cosas de los muchachos. . .

Quizá, contrariando la costumbre del poblado, esa noche en casa de Pedro hubieran amanecido alrededor de la hoguera escuchando a los recién llegados y contándoles de su pueblo. Pero la tormenta se acercó sigilosa y, de improviso, irrumpió un trueno cercano y gruesas gotas comenzaron a caer como granizos. El viento fuerte, ya impaciente, les apagó la luz del patio. Se hizo la desbandada, casi corriendo.

—Queden con Dios y la Virgen.

—Que San Cristóbal los acompañe.

33

—¡Pasen buenas noches!

—Mejor la pasen ustedes. ¡Hasta mañana!

—Adiós, Layita, y no me tenga miedo.

—Adiós, don Cipriano; no le tengo miedo; me gusta su brujería.

Cinco minutos más tarde, Ilamatepeque era sacudida por una rayería temible. Soplaba un viento desbocado, como queriendo llevarse las chozas. Los relámpagos refulgían como culebrinas. Mientras Pedro y su familia rezaban y hacían cruces con los tizones de un fuego bendito y se ponían en las cabezas trenzas de palma sacramentada por el cura, los Cano, tranquilamente, acostados en dos hamacas, conversaban, listos para dormir.

—Oiga, mano Cipriano, esa rayería suena como combate. Sólo falta la corneta y la banda.

—De verdad; se oye muy bonito —y, suspirando con desesperanza:

—¡Días aquellos, mano, cuando peleábamos al lado de mi General!

—Quizá no volverán, manito. Muerto él, no hay más victorias.

—Quién sabe, mano, quién sabe. . .

TROPIEZOS POR EL AMOR

La tormenta dejó límpida la atmósfera. Amaneció en Ilamatepeque un día maravilloso, con arreboles y una deliciosa frescura. Bandadas de pericos, golondrinas, chorchas y zanates, musicalizaban en la mañana. Los poblanos se levantan con el alba; es su hábito para marchar hacia las labores o simplemente para tomar el café-negro en las cocinas, al calor de los fogones de tierra. Azul intenso el cielo y verde profundo las campiñas en las márgenes del caudaloso Ulúa o hacia las colinas. Este río bajaba sus aguas barrosas debido a las fuertes lluvias de la noche; y así también el riachuelo Cececapa, que baja desde "El Boquerón" haciendo zigzags; y, hasta la delgadina quebrada de Santa Lucía, se había vuelto anchurosa y charlatana. Las calles estaban limpias y quedaban los dibujos de las corrientes en arenillas suaves que los chicos hollaban con deleite. Bajo las chilindronas había muchas flores amarillas y acampanadas que recogían las muchachas para hacer guirnaldas y collares. Algunas casas habían perdido tejas por el fuerte viento y los propietarios recogían los pedazos para amontonarlos en un solo lugar.

— ¡Qué tormentón el de anoche, compadre! —decía uno fumando un puro en una esquina.

—Parecía como si el "Coludo" anduviera suelto. ¡Fue rayería!

—Me ha preocupado mucho esa tormenta sin más ni más. ¿Ya supo usté que ayer llegaron los Cano?

—¿Los Cano de Ñor Chilo? Esos que andaban por Guatemala y Nicaragua?

—Los mismos, compadrito; esos que dicen que anduvieron con "Chico Ganzúa".

35

— ¡Dios nos libre, compadre! A lo mejor esa tormenta con rayería. . .

—A lo mejor es aviso del cielo, compadre.

— ¡Dios nos libre! Hay que estar con cuidado.

Los trabajadores que iban a los campos salían alegres, con energías, ansiosos de respirar el oxígeno del día. Mujeres con tinajas en la cabeza y, a veces, con niños enhorquetados en la cintura, iban en procesión a los "pasos" del río Ulúa en busca del agua para sus hogares, mientras hablaban en voz alta. Todo era alegre, hasta las cruces del cementerio rodeadas de yerbas altas, florecidas, y las carretas de bueyes, los burros y mulas, así como los arrieros que los llevaban hacia el campo.

Doroteo y Cipriano aprovecharon el amanecer para bajar al poblado y pasear por sus calles y saludar a viejos amigos y conocidos. Encontraban muchas gentes nuevas que ellos dejaran muy niños; pero en el pueblo, todo estaba igual: las mismas casas de tierra y tejas; los mismos empedrados; los árboles antiguos, y el mismo ritmo de vida sedentaria, sencilla, bucólica.

Anduvieron por la calle principal, por la plaza, por el Cabildo, al que llamaban Palacio Consistorial. Saludaban conocidos, hacían bromas y seguían adelante. Fueron hasta el atrio de la enorme iglesia, recordando sus correrías de cipotes por aquellos lugares. Se encontraron con los hijos de Joaquín Montoya, "Los Tres Macacos", y éstos les acompañaron en su recorrido de inspección. Fumaban su pipa los Montoya, tres hombres jóvenes, modestos; no usaban zapatos porque su oficio de sombrereros no les producía para comprarlos, pero sí tenían sus caites de cuero crudo para salir al monte en busca del junco. Los tres trabajaban en su casa fabricando sombreros para don Gervasio Lázaro y hacían otros menesteres en cualquier ocupación. Sabían de todo; trabajaban en el monte o en el pueblo; en las labores del Común, como era costumbre en Ilamatepeque o para la iglesia cuando los llevaban a la hacienda "San Cristóbal" a trabajar gratuitamente, o bien a trasudar para don Gervasio, el Alcalde; don Antonio Tróchez, el Síndico, o para el escribano, don Juan López, que también era curandero y sabedor de "cosas ocultas", oraciones buenas y malas, según el decir de la gente que le conocía. A más de eso, los Montoya, como todos los habitantes del pueblo, tenían sus obligaciones para con las autoridades milires. Lucas había hecho ya su servicio; estuvo "de alta" en Santa Bárbara. Para el próximo año se iría Cristóbal y después Serafín, el menor. Ingenuos, analfabetos, pero de conciencia limpia. Espontáneamente habían simpatizado con los Cano.

Cipriano a cada momento preguntaba a sus amigos por el nombre de las personas nuevas que encontraban. Estando en el atrio de la iglesia, pasó por ahí un señor robusto, de chaqueta abotonada, como guerrera, con sombrero fino de junco y zapatos colorados, hechos por uno de los zapateros remendones del pueblo. Cuando caminaba, los zapatos gruñían, como si, sabiendo que transportaban al jefe del pueblo, anunciaran su presencia. Le reconocieron de inmediato. Diez años no lo habían cambiado más que como a los árboles el tiempo: grosor de tronco y algunos cabellos grises; su bigote era ralo y su barba punzante: pelo de indio legítimo.

—Conque ya están por aquí —les dijo por saludo—; haber cómo se comportan en el pueblo. Sigo siendo el Alcalde, aunque en algunos años de "Chico Ganzúa" me apartaron de la Comuna.

—Me alegra que siga de Alcalde, don Gervasio. —Dijo Doroteo.

—Por algo lo han de haber apartado —expresó Cipriano con una sonrisa zumbona— ¿No le parece, don Gervasio?

Este se les quedó viendo con sorpresa. No era frecuente que los ciudadanos de Ilamatepeque le contestaran de una manera tan irrespetuosa. Era su primer contacto con los recién llegados y ya les tenía mala voluntad. Su gesto fue advertido por los Cano, pero ellos seguían sonriéndole amigables, contentos realmente de verle.

37

—¿Qué piensan hacer aquí? —preguntó con insolencia—. Sé que ustedes no están bien recomendados por nadie.

—No hay necesidad, don Gervasio —explicó Cipriano—: nosotros siempre nos hemos recomendado solos en todas partes.

—Y vamos a vivir aquí —agregó Doroteo, aún sonriente— porque aquí es nuestro pueblo. Aquí tenemos enterrado el ombligo, como usté.

—Se ve que han aprendido a hablar en sus correrías. Pero no está demás que recuerden que Ilamatepeque es un pueblo pacífico y de orden. Pórtense bien, que nada les cuesta. Ahora los tiempos han cambiado. Desde que la Divina Providencia hizo caer al tirano Morazán y a sus secuaces, aquí ha retornado el orden, la honradez, el respeto, la vida de antes.

—¡Caramba, señor Alcalde! —exclamó con ironía Cipriano—. Se ve que también ha aprendido a hablar. Antes, que yo recuerde, usted no era así. Hasta a Ilamatepeque ha llegado el progreso de la Federación.

—No lo tome a juego ni a "changoneta". Soy el Alcalde, y una burla es una cosa que puede costarle cara a cualquier "penco". Caminen derechos —y haciendo gruñir sus zapatos colorados, se alejó circunspecto, como debía caminar el jefe del pueblo.

—¡Qué don Gervasio. . .! —dijo Doroteo—. Lo único que ha cambiado es la panza de rico que ahora tiene.

—También el caminado, mano; mírelo: camina como "chompipe".

La comparación hizo reír a los Montoya. Pronto olvidaron a don Gervasio y, conversando de otros asuntos, se alejaron del atrio. Tomaron hacia el paso del río, a donde por las mañanas llegaban muchas personas a lavarse o a traer agua en tinajas. Por el camino ancho encontraban mujeres y muchachas en su mayoría. Ellos miraban con ojos sorprendidos, como cuando se ven forasteros, aunque ya todos sabían que aquellos hombres que hablaban alto y reían de todo, eran los hermanos Cano. Las muchachas les observaban de reojo y contestaban los saludos con seriedad.

En el río Ulúa había muchas personas de todas las edades. Algunos, más abajo, se daban un baño en la corriente bulliciosa. El grupo llegó hasta la orilla y, como todos, se hicieron el aseo personal, lavándose la cara, las manos y los pies. Algunos pececillos llegaban a picar los pies duros de los hombres y éstos, como cipotes, reían y saltaban, saliéndose del agua.

Ya regresaban cuando Cipriano se apartó de sus amigos para acercarse a un grupo de mujeres que bajaban al río. Una de ellas era Eulalia Durán, !a muchacha a quien le metiera el pañuelo sucio en el pecho la noche anterior. La saludó afectuoso y ella detuvo el paso, mientras sus compañeras seguían hacia el río. Conversaron.

—Pasamos un rato alegre, Layita.

—Muy alegres, pero ¡qué tronazón después! ¡Ay Diosito! ¡Sentí tanto miedo. . .!

A la luz del día Cipriano reconoció en la muchacha detalles que en la noche se le pasaron desapercibidos. Era más bonita de lo que parecía y más alta, casi de la estatura de Cipriano, con una cintura como tronco de pacaya y unas caderas prominentes. Los pies descalzos, de dedos separados; las pantorrillas gruesas y firmes, musculosas. Desnudos los brazos y coloradotes, ya iban teniendo macisez masculina por el trabajo. Pero, sobre todo, Eulalia tenía los labios igual a una pitahaya madura y cuando reía todo el rostro adquiría un como fulgor que salía de sus ojos azabaches, de sus dientes parejos o de quién sabe dónde.

—¿Y van a estar aquí mucho tiempo?

—Eso depende quizá de una sola cosa —contestó Cipriano, mirándola con inocultable cariño—. Depende sólo de usted.

—¿De mí? ¡Pero está loco, don Cipriano! ¡Vaya las cosas que dice!

—No se vaya todavía; me gusta conversar con usted. Es la mejor muchacha de Ilamatepeque.

—Favor que me hace, don Cipriano. No es para tanto. Yo soy fea.

—¡Jesús, María y José! ¿Qué está diciendo? ¿Fea usted, Layita? No lo repita y que se le tuerza la boca, no sea que Dios la castigue por la mentira. ¡Si usted es relinda!

—Ya me voy —dijo ella, viendo con timidez al hombre—; se me hace tarde.

—¿Quiere que la ayude a llevar la tinaja?

—¡Jesús! ¿Qué diría la gente? Además, mi "mama" me maltrataría porque pensaría que usté es mi enamorado.

—¿Y no es verdad? —preguntó riendo.

—¿Qué dice? —los ojazos negros estaban relucientes de sorpresa—; al menos, yo no lo sabía.

—Pues sí y. . .

—Cállese, por favor, y váyase don Cipriano.

—¿Me desprecia?

—Otro día conversaremos.

—Así me gusta, Layita —y no dijo más porque la muchacha, dando saltos, se alejó con la tinaja en una mano y el yagual en la otra.

Cuando Cipriano dio la vuelta con una sonrisa de felicidad en su boca ruda, no se fijó en tres hombres que estaban al pie de un jiquilite y que le veían directamente, con seriedad, disgusto y provocación. Apresuró el paso para alcanzar a sus compañeros, pero lo detuvo la voz de uno de los hombres.

—¿Conque acaba de llegar y ya está atalayando a las cipotas?

Cipriano le observó sin rencor, pero, al notar en aquellas palabras y en el rostro joven del hombre la presencia del odio y el engreimiento, en su frente apareció un surco transversal.

—Como que le gusta la mocita al garañón... —prosiguió el hombre.

—Vea, señor, no sé quién es usted, pero a mí no me agrada que un desconocido me hable de esa manera. A Cipriano Cano, para hablarle así, el que lo haga, debe ser muy hombre.

El provocador, que era un hombre joven, de aspecto distinguido, pues usaba zapatos, se le quedó viendo agresivamente. Se observaron como dos gallos de pelea. Al fin, Cipriano preguntó:

—¿Qué te importa esa mujer? ¿Eres su padre o su hermano?

—¡Soy su novio! —espetó colérico el hombre calzado—. ¡Y sepa usted que yo me llamo Rogelio Lázaro, aquí y donde quiera!

Cipriano distendió sus músculos, sonrió con ironía y, haciendo gestos afirmativos de cabeza, expuso:

—No podía ser otro el gallito. Te conozco. Sólo que ahora has echado cuerpo y arrogancia. Sí. Tú eres el hijo del Alcalde.

—¡El hijo del Alcalde! —repitió, acentuando las palabras—. Así que, por su bien, no vuelva a acercarse a Eulalia Durán porque se puede arrepentir. ¿Ya lo oye?

Doroteo y los Montoya regresaron hasta Cipriano. En ese momento, por el lado del riachuelo, vinieron las haladoras de agua. Rogelio, como para demostrar su hegemonía en el sentimiento de Eulalia, se fue a su encuentro y con voz áspera, le ordenó:

—¡No quiero volver a verte hablar con ese hombre! —le señaló a Cipriano que estaba junto a sus amigos.

Hubo un momento de vacilación en la muchacha. Quedó viendo ora a uno ora al otro, sin pronunciar palabra. Díriase que temía. Pero cuando Rogelio repitió su orden, Eulalia se indignó. Era una afrenta que se le hablara en esa forma, más cuando aún ella no le había dado el "sí" al pretendiente. Reaccionó en forma violenta.

—Vos no sos mi tata para mandarme. Yo hablo con quien quiero. Y, si no te gusta, mejor. Muchas veces te he dicho que no te quiero, que no me gustás ni así —y le señaló la falange del meñique.

—¡Te digo que no hablés con ése! ¡Querrás o no querrás, serás mía!

—Pues ya que lo querés y llegó el día: ¡Nones! ¡Antes, de ser tuya, me tiraré al Ulúa o me lanzaré del campanario del templo!

Y con paso altivo, Eulalia siguió su camino denostando contra Rogelio Lázaro que, apabullado, con sus amigos se dirigió hacia el riachuelo, sin volver a ver siquiera a Cipriano Cano.

Este y los suyos, comentando jocosos el incidente, regresaron al poblado. La actitud de la muchacha había impresionado profundamente a Cipriano por su determinación arrogante y digna.

—"¡Esa mujer me conviene —pensó—, es toda una hembra!".

QUIENES ERAN LOS CANO

En llamatepeque la comunidad tenía sus costumbres tradicionales. Una de ellas era la de mutua colaboración. Muchos trabajos los hacían en común, como en la época de las comunidades indígenas, con ciertos matices de comunismo primitivo. Los productos se distribuían entre los participantes de manera equitativa. Cuando alquien construía una vivienda, lo hacía en tiempo record, porque casi todos los hombres del pueblo le ayudaban gratuitamente. Unos cortaban la madera; otros la llevaban al sitio escogido por el futuro propietario; mientras, ya iban adelantando los trabajos de tierra, con lo cual las paredes se levantaban rápidamente; y, cuando esto sucedía, otros habían ya preparado la manaca para el techo. En fin, era un trabajo de hormigas o de horneros: rápido, eficiente, alegre, común.

Los hermanos Cano, recordando su costumbre, dispusieron reparar sus barracas, según el tradicional procedimiento. Estaban abandonadas, casi destruidas y necesitaban muchas reparaciones. Hicieron circular la noticia entre sus amigos y fijaron el día para laborar. Muchos de ellos respondieron al principio de solidaridad comunal, pero muchos otros rompieron la tradición: no asistieron a la construcción y a ello se debió que les llevara el trabajo ocho días.

Al estar reparadas las chozas, ya habitables y rehabilitadas de la ruina, en el atardecer, se pasaron a residir en ellas los dos hermanos, dando las gracias a su primo Pedro por el favor de haberles dado posada en esos días primeros de su retorno al pueblo. Colgaron sus hamacas, hicieron fuego en el nuevo fogón de tierra y prepararon la primera comida ellos mismos, ayudados por María. Invitaron a cenar a sus amigos y algunos se·quedaron con gusto.

En el corredor, hacia el lado de la cocina, conversaban alegremente comentando sobre la extraña particularidad de que tan pocos amigos hubieran contestado al llamado de solidaridad tradicional. Cristóbal Montoya enumeraba a las personas que, pudiendo asistir, no llegaron. El herrero Juan González, explicó su criterio. al respecto.

—Yo creo que lo ocurrido es cosa de don Gervasio Lázaro. A mí no me dijeron nada, pero sé que a otras personas, les hicieron fuerza para que no ayudaran.

—¿Y por qué?

—Porque dice don Gervasio y todos los de la Alcaldía, que Cipriano y Doroteo son de los que anduvieron con Morazán y que son criminales. Yo sé que es verdá que ustedes fueron soldados, y, aunque nada digo, porque en boca cerrada no entra mosca, en mis adentros soy con Morazán.

—Otra cosa —dijo Serafín Montoya— a mí, sí me dijeron que no ayudara porque estas casas estaban excomulgadas, como lo están también ustedes por lo mismo que dice tío Juan. Yo no entiendo esas cosas, pero yo soy amigo de ustedes y poco me importa que digan lo que digan. Yo cuando digo soy amigo, es que lo soy, truene, llueva o relampaguee.

—Yo también he venido por amistad —dijo Pablo Sánchez, hijo menor de Martha Sánchez, la enferma de hidropesía—. A mí también me amenazaron, pero mi "mama" me hizo ver que ustedes son buenos cristianos y que es mentira que hayan andado con ese tal "Chico Ganzúa" que era el Anticristo.

Doroteo, saliendo de la cocina, se dirigió a Pablo. Estaba incómodo por haber oído nombrar al General por aquel apodo reaccionario, pero su palabra era serena y afectuosa.

—No te han mentido, Pablo Sánchez. Mi hermano y yo hemos sido durante muchos años soldados del General Morazán.

Pablo quedó callado, dubitativo, mientras los demás amigos se aproximaron con sorpresa e interés. Aquello no eran los rumores de las gentes; eran las propias declaraciones de los Cano. Cipriano cortó la palabra de su hermano, interviniendo:

—Nosotros a nadie ocultamos ser morazanistas y haber dado nuestro valor en las luchas bravas del General. Hoy está muerto, desgraciadamente, por manos de los bandidos separatistas, pero lo que él hizo por todos nosotros, los pobres, no lo ha hecho nadie.

—¿Ni los Tata-Curas? —preguntó el anciano Joaquín Montoya, con duda.

—¡Bah, si ellos lo que hacen es amansar la gente, ponerles la albarda y jinetear! Ellos fueron responsables de la muerte de mi General. ¿Qué gobierno ha hecho lo que morazán por los pueblos de Centroamérica? Ninguno y quizá no habrá nunca más otro como él.

—Bueno, —dijo Pablo— yo, es verdá, sólo sé lo que me cuenta el Tata-Cura y lo que dice don Gervasio y don Toño Tróchez en el Cabildo. Yo soy católico, creo en la iglesia y los santos.

—Por eso no —refutó el herrero— porque yo también lo soy; pero hay que tener cabeza para pensar un poquito. Cuando Morazán era Presidente ¿qué pasaba aquí? —y, ante el silencio que siguió a sus palabras, él mismo se contestó: —Que entonces todos, fueran quienes fueran, tenían libertad de hablar alto, de reclamar derechos, ser ciudadanos iguales a otros ciudadanos. Entonces don Gervasio y don Antonio no estaban contentos porque no podían amolar a la gente pobre como antes: hasta pagaban impuestos. En cuanto volvieron ellos a la Municipalidad, volvió la misma cosa de antes del tiempo del Rey: trabajo y trabajo. ¿Para quiénes? Ahí está la cuestión. Por eso yo creo que las cosas no deben ser así; si somos independientes, pues debemos vivir de otro modo, sin tener a nadie en los lomos.

La palabra de Juan, el herrero, hombre respetado en el pueblo, que había ayudado, sin ganar un centavo, a fundir las campanas de la iglesia, causaron impresión y hasta el exaltado

Pablo Sánchez guardó silencio. Lo que decía era verdad, pero ¿cómo podría Pablo Sánchez creer más a un herrero que a su confesor? Para Pablo era como si le metieran clavos calientes en la cabeza, como si el herrero hubiera confundido sus sesos de hombre con un casco de caballo y le quisiera poner herraduras.

—Yo voy a contar a ustedes, mis amigos, la verdad y sólo la verdad. Pero antes quiero que me digan de corazón, como hombres de bien ¿creen ustedes que mi hermano Doroteo y yo seamos bandidos, asesinos, comedores de niños crudos, violadores de mujeres y toda esa sarta de mentiras que los cachurecos dicen de los morazanistas? Contesten con honradez.

—Pues no —dijo Cristóbal—, yo creo que los dos son lo mejor de honrados y cristianos.

—Dice bien mi hijo —secundó Joaquín— y yo, como también muchos de los que están aquí, como Pedro y Juan, que les conocemos desde chigüines roñosos, sabemos que son gente de bien.

—Bueno, si nosotros somos gente de bien y somos morazanistas ¿qué es lo que hay de verdad entonces en tantos cuentos? Si los morazanistas son bandidos, nosotros tenemos que serlo. ¿No es así?

Las gentes pensaban. Los hermanos Cano en ese anochecer les estaban haciendo pensar y discernir como nadie les había impulsado antes y sobre asuntos tan delicados como esos. Por primera vez se les pedía opinar conforme a su razón y su conciencia. Y era mucho para hombres sencillos como ellos. No podían explicar, pero sí entendían que algo andaba mal, que alguien tenía que estar equivocado en ese asunto de Morazán y que, si había hipócritas y perversos, no podrían ser los unionistas, cuyos representantes estaban allí, junto a ellos: los Cano.

—Cuando salimos de Ilama —contó Doroteo— nosotros pensábamos y entendíamos igualito a Pablo, a Joaquín, a todo el mundo de aquí. Entramos a sentar plaza y allí comenzamos a ver las cosas de otro modo, mejor dicho, hasta entonces comenzamos a abrir los ojos. Unos camaradas de armas nos ayudaron a ver y aprendimos que los hombres, todos, somos iguales, cualquiera que sea el pellejo que los cubra, cualquiera que sea su hablado, cualquiera que sea el lugar donde nace. Aprendimos que todos tenemos derecho a vivir libres, sin reyes, sin estos dones, como don Gervasio y don Antonio, que explotan haciendo rezar a Dios. Aprendimos que todos debemos amarnos, pues todos los hombres somos hermanos y que no es justo que don Gervasio nos haga trabajar para su bolsillo y viva como rey, mientras nosotros, los demás indios, tenemos el estómago vacío. No tenemos dónde sembrar una milpa sin la venia de los dueños de la tierra. Esa tierra que Dios creó para todos los hombres y que a nadie dio poder para tomarla como suya. Así vimos que este modo de vivir como bestias, llevando en el lomo a los ricos aristócratas, no es mandato de Dios ni es ley, sino pura picardía y maldad de unos pocos. Supimos que luchando con Morazán, cambiaríamos esta vida perra y haríamos efectiva la independencia de Centroamérica. Por eso fuimos desertores del Cuartel de Santa Bárbara y nos largamos a Comayagua cerca de cien hombres para unirnos a sus ejércitos. Era ese nuestro deber y voluntad.

— ¿Y ustedes creyeron en quienes les contaron eso?

—Creímos —contestó Cipriano— porque les conocimos como hombres de bien, honrados, la mejor gente del cuartel. Eran liberales y, aunque todo mundo decía que eran los Anticristos y que el mundo se iba a acabar por su causa, nosotros creímos en su honradez. Nos fuimos juntos. En Comayagua nos unimos al General, que ya había derrotado a Milla en La Trinidad y asumió el poder del Estado hondureño. Recuerdo aquel día: éramos más de cien y todos pobres, hombres de campo en su mayoría. Sin embargo, nos recibió como amigos y nos abrazó casi llorando porque dijo que era el mero pueblo hondureño el que estaba con él. ¡Ah, si ustedes hubieran conocido a mi General!

— ¿Y peleaba como hombre? —interrogó Pablo.

—Era el Jefe —prosiguió explicando Cipriano—; él dirigía los combates y cuando había necesidad, peleaba junto a sus soldados, como todos sus Generales. Uno de ellos, Cabañas, es un hombre bueno, como tata; y valiente, como león. ¡Ah!, nuestro primer combate fue en Gualcho, contra Domínguez, del El Salvador. Seguimos en una serie de batallas: San Antonio, San Miguelito, Las Charcas, hasta ir a tomar Guatemala, con el Ejército Aliado Protector de la Ley.

En la voz de Cipriano había emoción y entusiasmo; los recuerdos de aquellas jornadas victoriosas del tiempo pasado, le daban elocuencia y sus oyentes participaban también de aquel entusiasmo del relato.

—Después anduvimos por todo Centroamérica con mi General. Cuando la insurrección de Olancho, vinimos a marchas forzadas desde Guatemala. Tomamos Juticalpa y derrotamos a los facciosos en Las Vueltas de El Ocote.

—Para ese tiempo — intervino Doroteo— sucedieron en Honduras muchas cosas buenas. Ustedes acá deben haberlas sentido porque eran nuevas. ¿Se acuerdan de Don Diego Vigil? Pues era gran amigo de Morazán y cuando fue Jefe de Estado de Honduras dictó leyes macanudas para el pueblo. La ley que suprimió el fuero eclesiástico; la que acabó con las comunidades religiosas; la que suprimió las Bulas, breves, decretos y toda ordenanza del Papa, sin el pase del Presidente. Fue entonces cuando dieron la ley del matrimonio civil. Sí, amigos, fueron los mejores tiempos. En ese entonces, despuecito de lo de Olancho, mi General trajo la primera imprenta de Guatemala y publicó el primer periódico llamado "La Gaceta del Gobierno".

Todos estaban atentos y admirados de la manera de hablar de Doroteo, porque, contrario a su hermano, casi siempre hablaba poco, era muy serio y de mayor respeto, quizá porque era el de más años. Cipriano corroboró sus recuerdos:

—Es verdad todo eso y cuando el General fue electo Presidente de la Federación en el año Treinta, nosotros fuimos

por él de nuevo a Guatemala. No nos dejaba porque tenía
confianza en nosotros, como soldados y amigos.

—¿Dónde estaban ustedes —preguntó González— para el
año del polvo?

—En Guatemala. Fue el año 35 y, para más señas, el día
de San Sebastían, veinte de enero. Ese año fue también cuando dieron la Ley Agraria de don Joaquín Rivera. Yo me
acordé mucho de ustedes porque pensé que estarían siendo
repartidas todas esas tierras de la Iglesia y de don Gervasio.

—Pues no hubo repartición —señaló Joaquín Montoya,
haciendo memoria—. Algo de eso se supo aquí, pero no dieron tierras a nadie. Recuerdo que el Tata-Cura vino y dijo que
era pecado pensar en esas cosas, pues eran del endemoniado
"Chico Ganzúa". Así merito, con esas mismas palabras, recuerdo bien.

La conversación absorbía la atención de todos, que estaban descubriendo en los hermanos Cano una extraordinaria
sabiduría, que ya no era de la de los mozos sombrereros de
otros tiempos. Cipriano continuó:

—Con mi General Morazán anduvimos donde quiera que
se necesitaba sentar la paz y mantener la Federación. Cuando
Nicaragua y Honduras atacaron a El Salvador, fuimos con mi
General y, en El Espíritu Santo, derrotamos a los separatistas.
Cabañas vino a Honduras a ponerles la mano a los sublevados.
En varios combates los venció. Ferrera, este mismo Chico Ferrera que está hoy de gobierno, invadió El Salvador, y, allá, le
volvimos a sacudir el polvo en San Pedro Perulapán. Después
vino la desgracia.

—¿Cómo? ¿Lo mataron?

—Entonces no. Con ochocientos hombres invadimos
Guatemala porque se habían sublevado los Curas. Tomamos
la capital, pero no resistimos el cerco de más de dos mil
hombres de "Racacarraca".

—¿Quién era ése de nombrecito tan rascador?

49

—Es un bruto a quien los Tata-Curas armaron contra la Federación. Le dicen "Racacarraca" porque no sabe escribir y cuando firma pone ese nombre. Pero déjenme seguir contando: llegamos a El Salvador derrotados y mi General y sus amigos y lugartenientes se fueron para El Perú. Nosotros nos quedamos en Nicaragua por un tiempo y seguimos por otras partes de Centroamérica.

—¿Es grande? —preguntó Lucas Montoya, que quizá pensaba en recorrerla como lo habían hecho los hermanos Cano.

—Centroamérica es enorme y rica: con ciudades grandes, como Guatemala, Quezaltenango, Santa Ana, San Salvador, Managua, Cartago, San José de Costa Rica, Comayagua, Tegucigalpa. ¡Ah, y lo que mi General quería era que todos los Estados fueran un solo país y una sola familia! La unión fue su ideal y todos peleamos por ella. Murieron muchos; en cuenta mi General, fusilado en Costa Rica.

—Pero él fue muchos años Presidente. . .

—Sí, fue Presidente de la Federación, hasta que los conservadores armaron a Rafael Carrera, ése a quien apodan "Racacarraca"; bajaron a las indiadas en nombre de Cristo Rey y, con fusiles de los ingleses, derrocaron a Morazán. Cuando él regresó del Perú y fue llamado a Costa Rica, nosotros fuimos a levantar de nuevo la Federación. Nos derrotaron porque traicionaron al General, lo apresaron y lo mataron. Después, nosotros dos, con la demás gente y el General Saget, conseguimos llegar a El Salvador por mar. Allí fue la despedida final. Cada cual tomó su camino. No les niego que, allí, todos lloramos al despedirnos.

—¿Y ya no hubo más guerra?

—Cada cual salió para donde creyó conveniente. Los ejércitos de la Federación se habían desbandado y en todos los Estados, ya separados como Repúblicas, había gobiernos enemigos. Sin embargo, quizá dentro de poco nos llame de nuevo el deber de soldados de Morazán y volvamos a las armas porque es necesario cambiar todo esto y terminar con la desnudez y el hambre, acabando con los gobiernos separatistas.

—¿Y creen ustedes que volverán a triunfar?

—¿Creer? Creemos. Hoy estamos fracasados y disgregados, pero mañana estaremos de nuevo juntos y venceremos. Las ideas de mi General levantarán vivos y muertos. El general Trino Cabañas se está preparando para la revancha. Así que las cosas están comenzando, amigos, comenzando.

Los Cano habían logrado que los oyentes se interesaran por su relato. Quizá en esa tarde comenzaban a romper la cortina de falsedades que los conservadores reaccionarios, los carreristas, habían fabricado para desprestigiar a Francisco Morazán y a su política y combatir el despertar del pueblo respecto a las ideas nuevas y revolucionarias.

Había llegado la noche; la cena esta preparada y todos estuvieron hasta muy tarde, conversando de aquellas cosas que tan bien sabían los Cano y que, con sus relatos, entusiasmaban a los hombres sencillos, especialmente a los jóvenes. Ellos, que tanto gustaban de contar los cuentos de aparecidos, en esta noche se olvidaron de eso para seguir con interés los recuerdos de los dos hermanos que fueran durante tantos años soldados de los ejércitos de Morazán.

Se había abierto entre todos un nuevo horizonte de confianza y amistad.

EL FUEGO OBEDECE A LOS CANO

Los días subsiguientes fueron de arduo trabajo para Doroteo y Cipriano. No tenían tierras dónde sembrar y tuvieron que trabajar como sombrereros y tejedores de mezcal, haciendo lazos y matates. Juan González los ocupaba a veces en su herrería como ayudantes. Juan permanecía enfermo; las chispas de la fragua y las esquirlas del hierro, le agujerearon la piel de brazos, pies y tórax, porque siempre trabajaba desnudo, hasta la cintura. Su cariño para los hermanos Cano aumentaba de manera que las autoridades aumentaban su aversión a los exsoldados.

Difícil resultaba para los dos hombres la readaptación al ambiente de su pueblo. Aquella vida de servidumbre, donde el hombre no era más que una pequeña bestia en manos de los tradicionales dueños de la sociedad, chocaba violentamente con el espíritu y la mentalidad que los años de liberalismo morazánico les había formado. Soldados de la libertad, acostumbrados a sentirse ciudadanos con derechos y obligaciones, tenían ahora que doblegarse ante un sistema de subhombres. Ellos conversaban en sus barracas por las noches, después de marcharse los hermanos Montoya y el herrero, sobre la gran desgracia caída sobre los pueblos centroamericanos con el fusilamiento del Caudillo Unionista. El régimen conservador-clerical que gobernaba a Honduras, que la había separado de la Federación, estaba barriendo con todas las leyes protectoras del pueblo, leyes liberales para incorporar las viejas leyes coloniales, los privilegios y hasta los diezmos en favor de la Iglesia.

Con todo esto en contra, para los Cano no había otro lugar de residencia. Huyendo habían logrado pasar por el territorio hondureño. El gobierno de Francisco Ferrera, instrumento de los conservadores, de Carrera, de la Iglesia y de los ingleses, perseguía con saña a los morazanistas. Cuando fue fusilado Morazán, ellos quedaron en Costa Rica; pidieron asilo con el resto de las fuerzas unionistas al gobierno de El Salvador. Entonces Ferrera se opuso, pero El Salvador los aceptó. Dispusieron salir de este país porque se les mantenía en zozobra y, aún sabiendo que si les capturaban en Honduras, podían ser hasta fusilados, así se aventuraron. A pie, por descampados, hicieron la travesía hasta Ilamatepeque, su pueblo natal. Si allí no encontraban paz ¿qué sitio podían buscar cuando, por toda Centroamérica, ya descuartizada, dominaban los conservadores-clericales, desplegando las más crueles venganzas contra los morazanistas?

Esto lo miraban claro y, en consecuencia, estaban dispuestos a sobrellevar la vida de servidumbre hasta que se reagruparan las fuerzas dispersas del Unionismo. Sin embargo, ya en su pueblo los representantes de la reacción, sabiendo que ellos eran morazanistas, les hostilizaban. Querían aislarles y quizá volver la antipatía de los ilamatepequenses contra ellos para hacerles salir del poblado. La lucha estaba abierta desde antes de llegar. Ahora les correspondía no transgredir las leyes vigentes, aún cuando ellas fueran las más injustas y reaccionarias. Evitarían presentar un blanco al enemigo y, mientras tanto, se esforzarían por mantener la amistad de las personas honradas del pueblo.

Con la reparación de sus barracas, comprendieron cuáles podían ser sus amigos. Era imperativo dilucidar eso para no caer en una maniobra del Alcalde, don Gervasio, o del Tata-Cura que solía venir desde Santa Bárbara a pasar temporadas para domesticar a los trabajadores indígenas que no estaban totalmente conformes. No obstante, a pesar de haber fijado una vida casi al margen del movimiento normal del lugar, debido a su espíritu de camaradería y sociabilidad adquirida en sus andanzas, y al aburrimiento de su inactividad política y militar, rompían su promesa muy a menudo para irse con los amigos a charlar, a escuchar el acordeón de Bartolo Durán, y, Cipriano, a seguir la huella prometedora de Eulalia, que se le había metido como una bala enamorada.

Al salir de los trabajos, donde quiera que fuesen, Cipriano venía a su casa a cambiarse el calzón de trabajo por el calzón y camisa domingueros. ¡Cómo deseaba ahora tener, como los había tenido en Guatemala, El Salvador, Nicaragua y Costa Rica, zapatos para el paseo! ¡Si Eulalia lo hubiera visto entonces, paseando en la Plaza de Armas de Guatemala o en cualquier otra población, bien vestido de sargento, con zapatos, con gorra militar. . .! Pero eso ya iba quedando lejos en el tiempo. Sin embargo, aquella idea de los zapatos, le martillaba constantemente. Un hombre calzado tenía otro aspecto y ahí donde sólo los "gorgueras" se daban ese lujo, usarlos ellos, los Cano, les hubiera prestigiado más.

—Mano —dijo a Doroteo un día—, de cualquier modo tenemos que agenciarnos un par de mocasines.

—¿Para hacer rabiar a don Gervasio y a su hijo? Estaría bien, pero son muy caros, mano.

—Déjeme ese asunto a mí; ya verá. . .

Cipriano, hombre que había cruzado toda Centroamérica, contaba con recursos inagotables para salir adelante en ese pueblo retrasado, donde el azar lo hizo nacer y donde, ahora, lo forzaba a seguir viviendo contra su voluntad. A la semana siguiente obtuvo los mocasines; de mal cuero, pero, al fin y al cabo, zapatos. Dos pares a la medida para los dos hermanos.

—¿Cómo los obtuvo, mano Cipriano?

—Usando los sesos, mano.

—¿No se los habrá "cachado" por ahí?

—¿Cuándo me ha conocido por "uñas largas"? —preguntó, ofendido, Cipriano, encarándosele.

—Es una broma, manito. Usted y yo tuvimos tatas que nos enseñaron a ser honrados.

—Y muy dignos jefes militares, que también nos enseñaron moral.

El efecto sicológico que produjo el simple hecho de salir a las calles calzados fue, tal como esperaba Cipriano, todo un acontecimiento. Las gentes dejaban de conversar para verles, caminando con naturalidad, y no como sucedía cuando alguno por primera vez se calzaba. Hubo la casualidad de que en ese día del estreno de los mocasines, celebrando el santo de Fulgencia, la hija mayor de Casimiro Cortez, los amigos le llevaron una serenata. Casimiro Cortez y su mujer, Lucía, "La Pulgona", como la apodaban, tenían dos hijos: Fulgencia, de unos veinte años, y Tobías, de dieciocho. Este muchacho les había crecido siendo un gran trabajador y muy formal.

La fiesta no costaba dinero. Bartolo tocaba el acordeón y algunos muchachos cantaban. Quizá hasta pudiera bailarse en el patio de Casimiro. Los Cano, ante las reiteradas invitaciones de "Los Tres Macacos", asistieron a la serenata; además, ahí estaría Eulalia Durán y, Cipriano, por ella podría ir al fin del mundo.

Bartolo había aprendido a tocar el acordeón hacía muchos años, de oído. Aprendió con un olanchano que pasó por el lugar y se hospedó en su casa; le gustó Ilamatepeque y se quedó viviendo hasta su muerte. Era un buen hombre; sabía mucho de ganado y encontró trabajo en Zapote Alto. A su muerte, le dejó de herencia el instrumento. Bartolo Durán lo conservaba con cariño y, a cada agujerito de la polilla, lo remendaba perfectamente con cera o hule. . . Desafinaba el acordeón, pero eso no importaba.

Esa noche, en el patio de Casimiro Cortez, Bartolo, de muy buen humor, tocaba las dos polcas que había aprendido y un vals que nadie le sabía el nombre; los muchachos lo habían bautizado "El Hamaqueo" y a las polcas con el plástico nombre de "Arranca Pezuñas" porque los bailarines, en los patios, regularmente se rompían las uñas o se las metían a sus compañeras. A causa de esos accidentes resultaba muy práctico y menos peligroso bailar "Las Cuadrillas" o "El Torito" que no requerían de aproximación de pies.

Alegre estaba la serenata. Casimiro, para compensar a sus amigos la alegría por el santo de su hija, obsequió "cususa" y las gentes se chispearon pronto, aumentando el júbilo; por otra parte, casi todos tenían en sus casas ollas de chicha para el consumo diario. Una gran rueda acosaba al acordeonista y a las muchachas sentadas en bancos que se habían arreglado para la fiesta; los vestidos limpios, aunque remendados; sus cuerpos bañados; las trenzas bien hechas y en ellas algunas tiras de telas de colores o flores cortadas al anochecer. Nadie usaba polvos ni coloretes; solamente en el pelo, para darle más brillo, se untaban manteca de cerdo o unturas vegetales.

Los Cano fueron recibidos con admiración, debido a lo que llevaban en los pies, a que se peinaban como las personas de la ciudad cabecera departamental y, especialmente, a las guerreras que, por primera vez, se atrevieron a poner y mostrar en público. Efectivamente, entre aquellos mozos desgarbados, sucios, malolientes, desgarrados de ropas, la presencia de los Cano se imponía, y más con su campechano carácter. Fueron los hombres de la fiesta. Fulgencia, la homenajeada y Bartolo, el músico, pasaron a segundo término. Eulalia, que en su interior se sentía aprisionada por el amor de Cipriano, casi no ocultaba sus sentimientos, a pesar de la presencia de su madre, quien no simpatizaba con el nuevo pretendiente.

Bartolo fue el que insinuó el baile.

—Bueno, yo matándome con el acordeón y tanto pichón sólo oyendo. Aprovechen y éntrenle a la polca con brío.

Se hizo la algarabía. Ninguno se atrevía a abrir el baile, hasta que Cipriano, invitando a Eulalia, pidió espacio para bailar. Lo demás ya fue sin importancia. El baile comenzó con "Arranca Pezuñas", seguido de "El Hamaqueo", único repertorio de Bartolo, pero suficiente para gozar.

Las galanterías de Cipriano, sus promesas, sus apremios, esa noche no podrían quedarse sin la contestación concreta.

—Cipriano, es verdá —le confesó Eulalia emocionada—: lo quise desde que lo vi en el río. Y ahora lo requiero más que a todo. —Y, pensando en lo que más quería, le reafirmó:— ¡Lo requiero más que a mi lorito!

Cipriano quedó encantado. Era el ansiado "sí", el compromiso, el sello de las relaciones amorosas, la felicidad. Cipriano había tenido novias e incluso queridas en otros lugares, pero la hermosura y sencillez de Eulalia le ataban con una fuerza sin precedentes en su vida. Realmente estaba enamorado y había noches que pensaba en el casamiento con formalidad. Se sintió tan contento que hasta cantó una tonada aprendida entre soldados.

> *Soldado que va a la guerra*
> *lleva sus tres resplandores:*
> *su General y sus tatas,*
> *y la mujer de sus amores.*
>
> *Cuando tocan a degüello*
> *la corneta y el pistón:*
> *fría se siente la nuca*
> *y se tuerce el corazón.*
>
> *Y al salir de la batalla*
> *con la cara ensangrentada,*
> *va su primer pensamiento*
> *a sus tatas y a su amada.*

Su éxito en esa noche era indiscutible; mas, cuando concluían los gritos que eran como aplausos a su canción, un nuevo motivo de interés surgió en la fiesta. Ahí estaba don Rogelio Lázaro con el escribano, don Juan Anteportam López, y varios alguaciles. Su entrada fue triunfal. Las gentes se deshacían para saludarles, especialmente Casimiro Cortez, el dueño de la casa y de la fiesta.

—No paren la fiesta por nosotros —dijo Rogelio con engreimiento. —Sigan: hay que alegrarse por el Santo de Fulgencia.

No obstante ese permiso, ya la alegría anterior, cuando sólo había familias del pueblo, no volvió a florecer. Todas las personas humildes, cuando estaban en presencia de las autoridades, se volvían más tímidas, como temerosas de que cualquier gesto o palabra suyos pudieran herir a los altos personajes del pueblo. El complejo de inferioridad era enorme, aún cuando aquellos ricachos eran de su misma raza. La alegría huyó y, a pesar de los esfuerzos de Cipriano, decayó el entusiasmo.

Para amenizar un poco la fiesta Cipriano se dispuso a realizar suertes de prestidigitación entre la concurrencia. Pidió a Eulalia le prestara su pañuelo y a la vista de todos comenzó a rasgarlo en trozos y cuando lo tenía hecho tiras, lo mostró a la concurrencia silenciosa. Entonces, despaciosamente y con dramatismo circense, fue lanzando los pedazos a una hoguera.

— ¡Por Dios —suplicó Eulalia confusa— ya me quemó mi pañuelo!

—Se quemó el pobrecito —afirmó Cipriano, fingiendo tristeza.

Rogelio, con paso espectacular, se aproximó a Cipriano, diciéndole sentencioso y autoritario:

—Devuelve ya la prenda a su dueña.

Todos callaron. Sabían la rivalidad entre los dos hombres por Eulalia y comprendieron que iba a terminar aquello en pelea.

— ¡Devuelve ya el pañuelo, charlatán!

Doroteo se interpuso pero Cipriano lo detuvo y dirigiéndose a todos:

—Ustedes vieron que al pañuelo de Laya se lo comieron las llamas. Pero como yo tengo poder sobrehumano, ordeno a las llamas que lo devuelvan al momento. ¡Al momento, sin quemadura ni rasgaduras! ¡Lo ordeno yo, Cipriano Cano!

El gesto solemne, las palabras, el dramatismo del hombre puesto de pie frente a la hoguera, ordenándole devolver el pañuelo roto, fue un acto que en todos, inclusive en Anteportam López, que tenía fama de saber tantos secretos, causó sensación. Cipriano pedía lo imposible, pues todos habían visto quemarse la tela. Todos los ojos se posaban en la figura del hombre que bajo la luz rojiza de los ocotes, adquiría cierto cariz de fantasía y de misterio en la mentalidad prejuiciada de las gentes.

—Así. . . así. . . —repitió Cipriano, ya con gesto sonriente, como si el fuego le escuchara y estuviera obedeciendo a su palabra.

Relucientes, timoratos, asustados, en espera quizá de ver una cosa extraordinaria, los ojos de los circunstantes, expresivamente abiertos, se prendían de las llamas sin pestañar, fijos. Las sonrisas habían desaparecido y un gesto de espectación privaba en todos. Cipriano les había dominado, les sugestionaba con su atrevimiento. Viejos, jóvenes, todos estaban pendientes de lo que iba a suceder. ¿Devolvería el fuego lo que ya había devorado ´ ante todos? Si eso sucedía ¿qué poder sobrenatural tendría Cipriano para hacer obedecer al indómito elemento?

—Déjate de majaderías —dijo Rogelio, queriendo sobreponerse al dominio del ex-soldado— y devolvé la prenda a su dueña!

Déjalo —intervino Juan Anteportam López, tratando de ocultar su curiosidad— nadie puede contra el fuego.

Cipriano levantó los brazos con teatralidad; dio dos pasos atrás, y, señalando a Rogelio, gritó:

— ¡Lo ha devuelto! ¡El fuego ya me obedeció!

— ¡Mentira —gritó Anteportam con voz de triunfo— ¿Dónde está?

— ¡Rogelio Lázaro —prosiguió Cipriano, dominante y autoritario— devuelve el pañuelo que el fuego ha puesto en el bolsillo trasero de tu pantalón!

Rogelio quedó inmóvil. Todos pusieron en él sus miradas interrogativas. Al ver el fulgor de los ojos de Cipriano, Rogelio involuntariamente, se estremeció. Aquellos ojos lo castigaban, lo burlaban, lo dominaban. Se llevó la mano trémula al bolsillo y sacó: ¡el pañuelo de Laya! El mismo pañuelo que Cipriano lanzara hecho tiras a la hoguera.

— ¡Ahí está el pañuelo! ¡Ahí, en el bolsillo de Rogelio Lázaro! ¡Ahí lo puso el fuego que es mi esclavo!

Una exclamación de asombro se escuchó en el patio. Era inconcebible. Juan Anteportam no podía comprender el suceso extraordinario y fue a tomar de las manos de Rogelio el pañuelo. Eulalia se aproximó y lo tomó para reconocerlo, palparlo, olerlo.

—Es mi pañuelo —dijo gozosa y fue a mostrarlo a su madre que con rostro severo, se santiguó.

Pasado el primer instante, unos reían sin comprender y otros, miedosos, murmurando en voz baja, se alejaban de los Cano, como alejarse de un espíritu maligno.

— ¡Tiene el "Coludo" en el cuerpo! ¡Cipriano es el "Coludo"!

—Sí. ¡El fuego le obedece!

— ¡Los Cano son espíritus malignos!

— ¡Sólo al "Coludo" le puede obedecer el fuego!

— ¡Dios guarde a Ilamatepeque!

— ¡San Cristóbal nos ampare!

Hasta Bartolo Durán guardó su acordeón. La fiesta terminaba y en el pueblo el nombre de los hermanos Cano comenzaría a pronunciarse seguido de la señal de la cruz. El escribano López, que sabía muchos secretos, no encontraba la solución lógica y racional de la demostración realizada por Cipriano Cano. Sentenciaba:

—Es gente de peligro. ¡Hay que verla con los dos ojos!

Rogelio quedó inmóvil. Todos pusieron en él sus miradas interrogativas. Al ver el fulgor de los ojos de Cipriano
Rogelio involuntariamente, se estremeció. Aquellos ojos lo
casaban, lo buscaban, lo dominaban. Se llevó la mano trémula al bolsillo y sacó... ¡el pañuelo de Laya! El mismo pañuelo que Cipriano lanzara hecho tiras a la hoguera.

—Ah, está el pañuelo. ¡Ah!, en el bolsillo de Rogelio
Lázaro. ¡Ah! lo puso el fuego que es mi esclavo!

Una exclamación de asombro se escuchó en el patio. Era
inconcebible. Juan Anteparam no podía comprender el suceso extraordinario y fue a tomar de las manos de Rogelio el
pañuelo. Eulalia se aproximó y lo tomó para reconocerlo, pal-
pando, olfateando.

—Es mi pañuelo —dijo gozosa y fue a mostrarlo a su madre que con rostro severo, se santiguó.

Pasado el primer instante, unos retan sin comprender y
otros, miedosos, murmurando en voz baja, se alejaban de los
Cano, como alejarse de un espíritu maligno

—Tiene el "Coludo"? en el cuerpo. ¡Cipriano es el "Coludo"?

—Sí. ¡El fuego le obedece!

¡Los Cano son espíritus malignos!

—¡Sólo al "Coludo", le puede obedecer el fuego!

—¡Dios guarde a llamarepeque!

—¡San Cristóbal nos ampare!

Hasta Bartolo Durán guardó su acordeón. La fiesta terminaba y en el pueblo el nombre de los hermanos Cano comenzaría a pronunciarse seguido de la señal de la cruz. El escribano López, que sabía muchas secretas, no encontraba la
solución lógica y racional de la demostración realizada por
Cipriano Cano. Sentenciaba:

—Es gente de peligro. ¡Hay que verla con los dos ojos!

REACCION DE LOS VECINOS

En poco tiempo los hermano Cano se hicieron de renombre en el poblado y más allá, en Chinda, Gualala y sus alrededores. Se hablaba de ellos con cierto respeto místico porque la superstición era hermana siamesa del fanatismo religioso; ambos estaban fuertemente arraigados en el espíritu sencillo, pero ignaro, de los pueblos. Los mil y pico de habitantes de Ilamatepeque vieron con sumo respeto a los dos hombres que retornaban cambiados de sus andanzas extraordinarias por esas lejanas tierras que ni de nombre conocían. Por su parte, los hermanos Cano, con el natural afán de contar a sus paisanos lo que habían conocido en grandes ciudades, como Guatemala, San Salvador, Managua, San José, Tegucigalpa y otras, se excedían en sus relatos, debido a su pródiga imaginación de hombres del trópico, principalmente Cipriano, el más joven, quien tenía fácil palabra. Doroteo era más callado, serio, hasta reservado y circunspecto, pero también demostraba que sabía mucho, sobre todo en cuestiones de remedios "caseros". Tenía vocación natural para recetar medicamentos vegetales, recetas que, al través de su vida, había ido almacenando en su prodigiosa memoria; enriquecida con las experiencias.

Por las tardes iban a charlar a la vecindad. Sus casas preferidas eran la de Joaquín Montoya, el padre de "Los Tres Macacos"; la herrería de González, al que estaban entusiasmando para construir un coche, como los que usaban en las capitales las gentes ricas; y la casa de Martha Sánchez, madre de Fernando y Pablo, cuya barraca estaba próxima al río, en el camino del aguadero del Barrio Arriba y por donde, en las tardes, pasaban las muchachas del barrio a traer el agua. Cipriano desde ahí atalayaba a Eulalia Durán y le dirigía piropos rimados que gustaban a la muchacha y eran celebrados por los oyentes que admiraban aquella inteligencia de versificador tan rara en la gente del pueblo.

En el patio de Martha, cuando ellos llegaban, se reunían muchos vecinos para escuchar aquellos relatos extraños de los Cano; después iban a sus chozas a comentar aquellas cosas raras y querer interpretarlas de conformidad a su mentalidad pueblerina. Martha, ya de edad avanzada, había sido muy amiga de los padres de los Cano; ahora permanecía casi postrada, enferma de una gordura extraña, "bofa", como decían las gentes, y que, según Doroteo, era una enfermedad llamada hidropesía, pero que, tanto Martha como los vecinos, consideraban era "mal" que le habían hecho. Doroteo se ofreció a curarla con medicamentos conocidos; él había visto en Managua curar a un hidrópico con la hiel de vaca, pero en Ilamatepeque no se podía encontrar más que en la hacienda San Cristóbal.

Ya Martha estaba desahuciada por los más destacados curanderos de Ilamatepeque; por el popular Tuerto Simón que, regularmente no cobraba y se conformaba con que le obsequiaran chicha, algunas hojas de tabaco o su panela para endulzar el café, y don Juan Anteportam López, el gran sabedor de las cosas, consejero y médico de las familias distinguidas, como la del Alcalde Lázaro, hombre alfabeto, de muchos años de edad y que era el escribano vitalicio de la Comuna. Solamente una vez, durante pocos meses, lo habían sustituido por otro, procedente de Santa Bárbara, pero quien tuvo que salir del pueblo, casi corrido, porque Anteportam, teniendo un dominio pleno en los vecinos, los indispuso contra él hasta dejarle nuevamente el puesto.

Por las noches, si los Cano no salían a las viviendas del pueblo a contar historietas, cantar tonadas y hacer trucos de prestidigitadores, para divertirse y divertir a las gentes, eran éstas las que llegaban a su vivienda a pasar las veladas que nunca iban más allá de las ocho de la noche, hora en que todo mundo buscaba su dormitorio. Por eso, sus amigos íntimos iban llegando tarde, cuando ya los otros se marchaban con el objeto de poder escuchar los relatos de sus luchas bravas con Morazán.

Regularmente conversaban de la vida en otros países, de sus avances, de sus personajes políticos, de los palacios, de las modas que usaban las gentes, para luego venir a caer en las supercherías de la vecindad y de los poblados vecinos; que eran el tema obligado de las gentes. Los Cano se cuidaban mucho de contar, aunque lo deseaban, sobre sus experiencias guerreras con Francisco Morazán, pues comprendían que eso era sumamente peligroso hablarlo con cualquiera; y sólo cuando quedaban con sus amigos de mayor confianza, se desplazaban a ese campo tan sugestivo para ellos, puesto que era parte emotiva de sus vidas e ideales de soldados en los Ejércitos de la Federación Centroamericana.

Los Cano querían que llamatepeque cambiara su sedentaria vida rural; tenían grandes proyectos para el mejoramiento colectivo. ¿Por qué no introducir en llamatepeque ciertos adelantos que ellos vieran funcionar normalmente en otros lugares? ¿Por qué no hacer cambiar un poco esa vida retrasada e ignara de sus paisanos? En los patios, a voces altas, exponían sus proyectos progresistas ante el asombro de sus vecinos que se encargaban de ir pregonándolos como "las locuras de los Cano". Las autoridades oían aquello con gesto desdeñoso y con susceptibilidad conservadora; consideraban ideas absurdas y *non santas* las que exponían los Cano.

Un día los hermanos entraron de lleno a plantear ciertas reformas al señor Alcalde y al Escribano en el propio Cabildo Consistorial. Eran audaces y se atrevieron a sugerirles la fundación de una escuela para los muchachos del pueblo, los que eran muchos. Ellos habían visto escuelas en otros pueblos y comprendían que en llamatepeque se podía hacer funcionar una, siquiera, para meterle las primeras letras a la niñez.

—Se puede mandar a traer un preceptor de Santa Bárbara, o bien, si les parece a ustedes, nosotros podemos enseñar a leer y contar; pero si esto no es conveniente, también podría servir de maestro el Señor Escribano, don Juan Anteportam. Entre todos los vecinos podríamos mantener al preceptor y la escuela sería muy buena para todo llamatepeque.

Contrario a lo esperado por los Cano, los dos jefes del pueblo, don Gervasio Lázaro y Anteportam López, respondieron con disgusto a la sugerencia. Era intolerable a los señores que aquellos dos vagabundos que ellos conocieran desde "chigüines" se permitieran el irrespeto de venir a darles consejos a ellos que, durante tantos años, servían de jefes de la Comuna y tenían experiencia sobre lo que se debía hacer en el pueblo.

—Están ustedes muy pichones —dijo Anteportam, mirándoles sobre los antiguos anteojos pegados con cera— para que se crean sabedores de lo que debemos hacer los mayores. El orden y concierto de Ilamatepeque mantenido desde tiempos del Santo Angel y el Rey Don Carlos, "El Hechizado", que fue nuestro gran protector, no puede ser quebrantado por el antojo de dos vaguitos que sepa macho las cosas que han hecho en sus andanzas pícaras. No. Es faltar al respeto a la autoridad venir con humos de sabios. Mal andan quienes quieren meter la anarquía en Ilamatepeque, queriendo quebrantar lo que Dios manda.

—Sí —afirmó el Alcalde— y lo mejor sería que abandonaran el pueblo y fueran lejos a rejuntarse con el demonio. Ya lo decía yo desde que llegaron ustedes: mala gente, con ellos viene "El Coludo".

—Pero, señores —insistió Doroteo, haciendo esfuerzos para no estallar en cólera y gritarles cuatro verdades a los personajes del pueblo —nosotros somos hombres honrados, nacidos aquí mismo, con el ombligo enterrado en esta tierra. Sólo queremos ayudar; nada más.

—Y no era para tanto —concluyó Cipriano, menos paciente—; piensen que nada hemos dicho y santas pascuas. Ahora nosotros nos vamos y todo terminado. —Y, en voz baja, dijo a su hermano—: verdaderamente este Alcalde es mero chompipe; bruto por los cuatro costados y se cree un rey.

—Dejen de murmurar —expresó el Alcalde colérico—. Yo soy el Alcalde Constitucional y les puedo meter en el cepo en cualquier momento, aunque anden ufanándose de usar zapatos como gente de copete. Aquí nadie tiene que venir a darnos lecciones.

—¡Ah, Gervasio —señaló Anteportam con ironía— a lo mejor es que estos caballeritos de industria ya sueñan con sustituirnos en estos puestos! ¿No los oístes decir que ellos pueden ser preceptores? Poné atención en las palabras, Gervasio Lázaro; las palabras tienen su propósito.

—Pues si eso creen, están muy equivocados —dijo con firmeza Gervasio— y antes de pensar en sustituirnos deben ir pensando en pagar los diezmos y primicias para San Cristóbal. Deben entregarlos al Síndico, Don Toñito.

Los dos hermanos salieron de la Alcaldía muy disgustados por la intransigencia y estupidez de las autoridades; pero una vez fuera, la cólera estalló en hilaridad y, ya en su vivienda, Doroteo sentenció:

—Bueno está que nos pase lo que nos pasó por metidos ¿cómo vamos a sacar de andar en cuatro patas a los burros?

—Verdá, manito; con esos "nobles" no sacamos tajada para bien del pueblo; se consideran los amos y, además, "luminarias".

—Pero es una lástima que la gente honrada viva así, a lo bruto, como en tiempos de "mi amo, el Rey".

No intentaron volver a dar iniciativas a los jefes de Ilamatepeque, pero se multiplicaban tratando de orientar a las gentes para que realizaran muchas cosas de distinta manera a como las venían haciendo desde tiempo inmemorial. Y, con todo, en el pueblo no iban bien las cosas para los Cano. A pesar de ser de la misma sangre, se les trataba como a forasteros y con recelo. Eran indios, como los del pueblo, pero demostrando características nuevas en su idiosincrasia, servían de reparo para los más viejos del lugar, quienes desconfiaban y mantenían ciertas distancias. Había desconfianza y temor y el hecho de que el día en que llegaran a Ilamatepeque se desatara una tormenta eléctrica con truenos y rayería, sin ser tiempo de tales fenómenos naturales, servía para que Anteportam atizara en las gentes la superstición, indisponiéndolas contra los Cano, como si éstos fueran "mensajeros de desgracias".

Para los vecinos todo dependía de fuerzas ocultas, secretos, misterios que, unidos al fanatismo y supercherías, creaban un espíritu eminentemente retrógrado, fácil de ser guiado ciegamente por los jefes de la Comuna, quienes teniendo el poder político en sus manos, eran verdaderos caciques de tribu. Sin embargo, esos sentimientos de repulsión y enemistad que se iban fortaleciendo en los viejos, no tenían aceptación en los jóvenes; a éstos les gustaba el espíritu festivo de los Cano, su alegría, sus rarezas y conocimientos. Muchos jóvenes llegaban donde los Cano en busca de secretos para hacerse querer de muchachas, para "curarse" contra los maleficios y, sobre todo, para ser hombres valientes, inmunes a los peligros, como consideraban a los Cano.

—¡Ay, muchachos —decía Doroteo a los solicitantes— para tener esas virtudes se necesita haber nacido con ellas! Pero, si hacen una fuercecita, pueden llegar a triunfar en lo que se propongan. Es cuestión de voluntad.

Cipriano les daba otras respuestas:

—¡Bah, cuando se saben los secretos de la naturaleza no se pueden dar a otros así no más, porque entonces uno pierde la virtud: mejor hay que probar sin secretos, como hombres.

Así fue que muchos jóvenes se desilusionaron también de los Cano porque no les daban los conocimientos sobre secretos que consideraban conocidos por los hermanos. Sucedía que los Cano, hombres ya civilizados, sabían la farsa de todas aquellas antiguas creencias de su raza. ¿Cómo iban ellos a prohijar esos males cuando lo que deseaban era que sus coterráneos superasen aquellas condiciones de ignorancia? Cipriano, que los sorprendía con sus suertes de prestidigitación, solía mantener a los jóvenes en su sorpresa por un tiempo, pero después les explicaba los trucos, enseñándoles a realizarlos y que viesen que nada había de extraordinario ni sobrenatural, sino ligereza en las manos.

No obstante, en la mentalidad popular se fortalecía la idea de que los Cano sabían muchos secretos y que podían competir con el Tuerto Simón, y aún con Anteportam. Y esa creencia, con ribetes de admiración y temor, fue la que ahondó más la enemistad de Juan Anteportam respecto a los ex-soldados, lo cual sería de funestas consecuencias. . .

La herencia de Morazán

Libro segundo

LOS PROYECTOS DE ROGELIO

Cándida Durán permanece cotidianamente renegando y maldiciendo. De la mañana a la noche la domina la cólera. Por la menor contrariedad explota en denuestos contra todos. La roen pensamientos oscuros porque considera a su hija Eulalia víctima de un maleficio. Se ha enterado de que la muchacha está cada día más entregada a Cipriano Cano, dejando con un palmo de nariz a don Rogelio Lázaro, el hijo del señor Alcalde. Quizá si no fuera por esa circunstancia, estuviera callada, soportando lo demás. Lo demás es lo que ella considera que le sucede a su hija: que le han echado polvos de amor de ''pipe de mapachín''.

Su buen marido, Bartolo, al principio discutió acaloradamente con ella sobre lo absurdo de su suposición. El conoció a los padres de los Cano y a éstos desde cipotes. Pensar en que usaron métodos de brujería para con los amigos, era una calumnia. Ellos dos eran honrados a carta cabal. Bartolo peleaba con Cándida y una vez estuvo a punto de darle un golpe en la cabeza por testaruda.

Pero, desde la noche de la serenata a Fulgencia Cortez, cuando presenció la obediencia del fuego a Cipriano, se mantuvo en reserva y ya no contradijo a su mujer. Calló sus propios pensamientos y sus sospechas quizá por respeto a la amistad que le ligara con los padres de los Cano. Debido a esto, él no hizo ningún comentario cuando, una noche, Cándida echó afuera de su casa a Cipriano y Doroteo.

¡No quiero volver a verlos ni por los alrededores de mi casa! ¡Le han echado ''sontín'' a mi hija! ¡La tienen embaucada con una brujería!

—Pero, señora Canda: usted nos conoce. . .

—Yo no conozco al demonio. Y ustedes dos tienen "pauto" con él. ¡No vuelvan más a poner las patas en esta casa porque los quemaré con agua bendita hirviendo!

Bartolo no había intervenido; su silencio fue tácita aprobación a la actitud de su mujer. En cambio, Eulalia, por primera vez en su juvenil existencia, se sublevó contra su madre y protestó por la drástica determinación, haciendo público su amor.

— ¡Lo quiero! ¡Lo quiero! ¡Y lo voy a ver en cualquier parte! ¡Lo quiero!

Cándida se exasperó. Con un leño de guayabo verde le propinó golpes por doquier.

— ¡Tomá, tomá! ¡Te voy hacer que lo querrás mejor! ¡Te voy a sacar la lengua y el "sontín" a palos por burra!

— ¡Golpee, mama! ¡Golpee, pero no lo dejaré! ¡Yo quiero a Cipriano y ni a palos me va hacer olvidarlo! ¡Golpee...!

— ¡Pues te mato, endemoniada!

— ¡Me iré juida! ¡Me iré juida con él! ¡Me iré, vaya!

Tuvo que intervenir Bartolo. Eulalia quedó cubierta de golpes, pero cumplió su palabra. Todos los días iba a encontrarse con Cipriano en el camino del río, en alguna casa vecina, como donde los Montoya, o en cualquier parte, más apasionada y resuelta a todo.

Esto lo sabe Cándida y es por ello que murmura, regaña, maldice y golpea. ¿Cómo es posible que el hijo de don Gervasio Lázaro se quede burlado a causa de ese desvergonzado de Cipriano, el endemoniado? Personalmente habló un día con Rogelio. Le pidió disculpas por el proceder de su hija, manifestándole que ella obraba así porque estaba bajo el poder demoníaco del vagabundo.

—No tenga cuidado, Cándida —le expresó Rogelio—. Esos dos son criminales, prófugos de la justicia. Un día de estos van a caer:

—¿Criminales?

—¡Bandidos! ¿No sabía usté que los dos fueron de esos asesinos que anduvieron con el bandolero Morazán? Pues sepa bien con qué joya se ha metido Eulalia. Yo lo siento porque usté es honrada, como Bartolo, y porque se dejaron embaucar por esos pícaros.

—Eso no, niño Rogelio —protestó—; se domaron a Bartolo; pero a mí, en ningún momento. Yo conozco por el ojo a las personas. Ellos nunca fueron santos de mi devoción. ¡Nunca los tragué!

—Pues no se preocupe que no van a tener tiempo de correr largo.

Cuando ella lo dejó, Rogelio quedó pensativo. Odiaba a los Cano por la muchacha y por aquel porte de personas orgullosas con que sabían irrespetar a las principales autoridades del pueblo. Rogelio, indio también, tenía, en cambio, el privilegio de ser hijo del Alcalde, de tener el poder en las manos y recibir las zalemas y humillación del pueblo. Se sabía poderoso y eso lo engreía hasta la fatuidad.

En la Alcaldía adversaban a los Cano, pero, debido a su buena conducta, no se les podía aplicar ningún castigo ni hacer ningún proceso. Rogelio había desistido de provocarles porque la fama de hombres valientes iba de boca en boca. Mejor sería buscarles algo en privado para golpearles legalmente. Si cometían alguna infracción, ahí estaría el pretexto para obrar contra ellos. Pero los Cano se cuidaban mucho de resbalar, y, mientras tanto, Eulalia detestaba a Rogelio, hasta el insulto.

Pensando en la venganza, consultó el caso al escribano de su padre, Juan Anteportam López, hombre incondicional, de mucha inteligencia, conocedor de muchas cosas, entre ellas las leyes y su aplicación. En la Alcaldía era el verdadero jefe, el que interpretaba las leyes y aconsejaba las determinaciones de la Comuna.

Juan llevó a Rogelio a la escribanía y, buscando entre papeles del archivo, le presentó uno a Rogelio. Este lo leyó con alguna dificultad, pues no era muy instruido. Era una circular del gobierno y decía:

"Gobierno P. i MIL DEL DEPARTAMENTO —C. M. de Ilama—. Por conducto del Jefe Político del Departamento de Comayagua se me comunica el parte siguiente: "Comandancia General del Ejército Libertador. A los pueblos del Marn. Hoy ha conseguido enteramente el triunfo la divsn. ausiliar de Nicaragua y las armas de Honduras contra las ordas de asesinos y ladrones qe. acaudillaba el perverso Cabañas. Los actos de esta Victoria son 80 muertos, entre los cuales hay 8 oficiales, 300 fuciles qe. se le han tomado hasta ahora, 4 cargs. de parque, una bandera, veinte lanzas, todos los instrumentos de su banda, muchas vestias y todos los equipos de Cabañas, mays y oficiales. Estos perversos son perseguidos por el Ejército de mi mando y los honrados y patriotas pueblos del tránsito los aprenderán y destruirán, vengando en esta orda de asesinos y agentes del Tirano y bandido Morazán, todos los males y vejaciones qe. les han causado. D. U. L. Tega. Eno. 30 de 840. MANUEL QUIJANO". Y lo transcribo a Ud. para su inteligencia y para qe. se sirva publicarlo en los pueblos de su jurisdn., cirviéndose reunir la municipalidad pa. celebrar con el mayor júbilo el triunfo adquirido por las armas militares de Nicarag. y las de nuestro Esto. —Esperando qe. en recibo me acuse el qe. corresponde y admita mi aprecio. D. U. L. Sta. Bárvara Febro. 6 de 840. B. LEYVA".

Cuando Rogelio terminó de leer la nota de las autoridades superiores, la devolvió al Escribano. Este era un mestizo de avanzada edad, que usaba unos anteojos casi en la punta de la nariz. Era el cerebro de la Municipalidad. Rogelio, comentó:

—Este parte es de hace tres años.

—No importa, muchacho. Lo interesante es que aquí se aconseja y ordena a los "honrados y patriotas pueblos del tránsito" poner prisioneros y destruir, oíme bien: destruir o sea fusilar, a los morazanistas que huyen. Y esto se lo podríamos aplicar a esos Cano que, según dicen, eran de las hordas asesinas de "Chico Ganzúa".

Rogelio prosiguió meditativo. No estaba conforme con eso o no encontraba muy claro el motivo para hacerles fusilar.

—Si los hubiéramos capturado al llegar, sería distinto; pero ahora, hasta tienen amigos que seguramente los seguirían.

—Así es. Quizá ya fusilarlos no sea fácil, pero sí apresarlos y mandarlos encadenados a Santa Bárbara con un proceso por ser partidarios de Morazán. Con sólo decir que eran de los acompañantes del maldito Tirano, es suficiente para que les sigan Consejo de Guerra, y, si no les fusilan, al menos les enviarán al Castillo de Omoa.

—Mejor vamos a esperar —opinó Rogelio con timidez— démosles un poco de tregua para que se envalentonen y así les podremos caer mejor.

—Como quieras, muchacho; como quieras. Ya sabes que debemos hacer todo lo posible por sostener al General Francisco Ferrera en la presidencia. El garantiza el poder y es defensor de la Santa Madre Iglesia.

—¿Y si llamáramos al Señor Cura de Santa Bárbara?

—No hay necesidá. El vendrá muy pronto. No debe tardar. Su consejo nos orientará. Anda ahora en trabajos allá arriba porque necesitamos que se vuelvan a poner en vigencia todas las leyes de antes. Nosotros podremos así volver a ser lo que fuimos antes de la tal independencia y la Iglesia volver a tener sus diezmos y primicias.

—Ojalá así sea, don Juancito. Que Dios lo oiga.

—Y a ti que te bendiga, muchacho. Así me gusta que seas. Vas a tener un brillante porvenir como tu padre. Vas a ser su sustituto en la Alcaldía; eso debes creerlo como si fuera palabra de Dios.

El viejo Anteportam quedó mascullando palabras y pensamientos mientras Rogelio, contento por el vaticinio, salió al corredor del Cabildo. Iba para su residencia, pues era la hora del chocolate.

Sentado en los ladrillos, entre los alguaciles, estaba Marcos López. Lo tenían preso. Lo habían capturado metido en una propiedad de don Gervasio, robando frutas. Eso significaba el cepo en la plaza pública. Al ver a Rogelio, el indio fue a su encuentro, cayendo de rodillas y suplicando piedad con lágrimas.

—Robar en la propiedad ajena es un delito que se castiga con cepo. Ya lo sabías, indio sinvergüenza.

— ¡No, tatita! ¡Por Dios y mi madre que no iba a robar! ¡Lo juro! ¡Perdóneme! ¡Yo le trabajaré los días que usté diga y adonde sea, pero no me castigue, tatita!

Rogelio le dio un puntapié, ordenándole pararse.

—Mira, Marcos ¿es cierto que vos pasás todas las noches con los Cano?

—No todas, tatita. Algunas veces, sí. . . conversamos. . .

—Bueno ¿Querés que te perdone el castigo por ladrón?

—Con toda mi alma, tatita. Ordéneme lo que tengo que hacer, nada más.

Está bien. Suelten a éste por mis órdenes —dijo a los alguaciles—. Yo arreglaré este asunto. —y, dirigiéndose a Marcos López—: Seguime, vos. Hablaremos a solas de algo importante.

Marcos López, pensando en que la Providencia había llegado a su favor, como perro sumiso siguió a Rogelio hacia la casa del Alcalde. Iba a recibir órdenes para obtener el perdón del castigo que merecía en el cepo por haber sido capturado robando en la propiedad de don Gervasio. Marcos iba dispuesto a cualquier cosa, incluso hasta matar, si se lo ordenaban.

Así es cómo, en Ilamatepeque, el enemigo más encarnizado de Cipriano y Doroteo Cano es Rogelio Lázaro. No tiene el valor suficiente para enfrentarse a ellos personalmente y busca la manera de que, con el apoyo de las autoridades, se les pueda apartar de su camino. Tiene la seguridad de que, desapareciendo Cipriano del pueblo, Eulalia Durán vendrá a él sin contratiempos. Para ello cuenta con la cooperación de Cándida y Bartolo. ¿Cómo puede ser que a él se le cause humillación tan grande, siendo el hijo del señor Alcalde?

CURANDEROS Y MAESTROS

Doroteo recibió en esa tarde, con su habitual amistad, a los hermanos Montoya y a Marcos López. Cipriano andaba allá por el paso del río entrevistándose con Eulalia que, a esa hora, bajaba a traer el agua. Los muchachos llevaban malas informaciones: un correo del gobierno, procedente de Santa Bárbara, había llevado la noticia de que, por el sur del país, había aparecido la peste del cólera. Ya Doroteo sabía del terrible flagelo. Había visto morir centenares de personas por esa contagiosa enfermedad y sabía de las medidas que era necesario tomar, pues, en los cuarteles y las ciudades, los médicos contrarrestaban esa peste.

—Es mala cosa el cólera —comentó—: puede acabar en dos días con toda la gente de Ilama.

—Yo recuerdo la vez que pasó por aquí —expresó Cristóbal—; fueron tendaladas de finados los que dejó a su paso. Lo recuerdo muy bien.

—Entonces fue —agregó Lucas con suave voz— cuando murieron Ñor Chilo y Ña Lupa, que en paz descansen.

Doroteo, ante aquel recuerdo quedó callado, sombrío. La muerte de sus padres le apenaba profundamente; ni siquiera habían sabido de su deceso en su oportunidad. Y, ahora, al volver con la esperanza de encontrarles, sólo el vacío, la casa en ruinas y dos tumbas, una junto a la otra en el viejo cementerio. Era lo que quedaba de ellos. La palabra de Marco le sacó de su abstracción.

—En ese mismo tiempo sucedió. Yo me recuerdo que entonces estaba la Federación y Morazán mandaba. Recuerdo eso porque vino exprofeso Tata-Cura, que estaba en Chinda celebrando una función, y sacó rogaciones contra la peste.

81

—Meramente, compa, y sacaron a San Cristóbal por todo el pueblo y los alrededores y hubo penitencias por los pecados.

—¿Y pararon la peste con eso? —preguntó Doroteo.

—Pues Tata-Cura dijo que sí; aunque, en verdad, todavía después "patiaron la cubeta" infinidad de cristianos. Esa vez sí que faltaban enterradores.

—Y todo fue —explicó Marcos con sencillez— por culpa de Morazán.

—¿Por qué?

—Porque él mandó a envenenar las aguas de los ríos. Bueno, yo digo eso porque así decía el Tata-Cura. ¿Verdá, compa Lucas?

—Así lo decía, y todos creíamos.

Doroteo recordó que en ese tiempo él estaba en Guatemala. Los conservadores habían aprovechado el cólera para agitar contra la Federación, diciendo que el gobierno Federal había mandado a envenenar las aguas de los ríos. Con ese pretexto estúpido, pero que sorprendía la ignorancia, habían insurreccionado varios pueblos de Honduras, como Texíguat, Nacaome y Manto. Lo recordaba bien porque él iba a venir con las tropas que mandaba Morazán. No hubo necesidad porque el Jefe de Estado, que era entonces don Justo José Herrera, apaciguó los levantamientos de los curas y conservadores. Eran cínicos para mentirle al pueblo. Doroteo, ante aquellos recuerdos, relató a sus amigos aquellos sucesos que habían sido consecuencia de la propaganda y falsedades contra el General Morazán.

Después, Doroteo, cambiando la conversación, les recordó sobre lo que había prometido el día anterior.

—Como no —dijo Serafín Montoya, el menor de "Los Tres Macacos" y quien venía padeciendo de calenturas diarias—. Yo tengo muchas ganas de aprender a leer y escribir como ustedes.

—Lo que yo temo —se disculpó Lucas con encogimiento— es que, ya tan grandote, quién sabe si me ayudará la "mema" para aprender. No pude en el cuartel sentando plaza; ahora, quién sabe...

—¿Y yo que soy tan atravesado? —dijo Marcos, autoburlándose.

—Son tontos; para aprender se puede en cualquier tiempo; es cuestión de poner voluntad.

—Y debe ser bonito saber leer y escribir como Teo y Cipriano — expresó Cristóbal—; así sabríamos hablar lo que dicen los periódicos, como Juan Anteportam, que sólo pasa pegado a los papeles.

Desde unos días antes, los Cano venían interesando a sus amigos para que aprendieran a leer y escribir y ellos ofrecieron comenzar las lecciones en casa de los Cano, por las tardes, después de los trabajos del día. Doroteo obtuvo algunos papeles viejos en el Cabildo y, con un lápiz, podían comenzar. Como en llamatepeque no había escuelas, los analfabetos abundaban. Por eso recomendaron, con mala fortuna, la apertura de una escuela al Señor Alcalde.

—El hombre que no sabe firmar, está expuesto a que cualquier Juan de los Palotes lo embobe. Y ustedes, como nosotros, ya somos otra clase de gentes. Hay que instruirse; así me repetía el General Trino Cabañas. Al hombre "leído", nadie lo engaña fácil.

Los ex-soldados habían aprendido mucho en la escuela realista de la vida, metidos en los ejércitos unionistas. Y ahora, ahí en llama, se disponían a ayudar a sus jóvenes amigos para meterles el alfabeto. Los Cano llevaban consigo las ideas avanzadas de la Revolución Morazanista.

—¿No vamos a esperar a los otros para comenzar? —preguntó Lucas.

—Esperaremos; es temprano todavía y no deben tardar.

—Lo malo —señaló Serafín, temblando— es que ya me está dando el frío de la calentura. Me entra a la misma hora.

Doroteo lo observó detenidamente. En efecto, Serafín estaba muy enfermo. Su piel acanelada estaba amarillenta; el globo de los ojos relucía tirando cierto tinte azuloso. Temblaba con los brazos cruzados a causa del frío preliminar de la fiebre. Doroteo le tomó el pulso como hacían los médicos en el Ejército. La circulación era acelerada y la temperatura del hombre muy alta.

—Estas fiebres malignas son peligrosas —comentó Cano, tomándole de un brazo—. Venga, compa, acuéstese un tantito adentro. Yo le voy hacer un remedio que lo va a dejar como nuevo.

Serafín lo siguió encogido y fue a acostarse a una hamaca. Doroteo le puso una sábana de "coleto" encima; el frío de la fiebre necesitaba abrigo. De esa enfermedad había mucha en las costas calientes y morían bastantes a causa de ella.

Doroteo entró en el cuarto, donde guardaba unos botes de barro con aguas medicinales y raíces, cuyas propiedades curativas conocía. Preparó una toma y se la dio a beber a Serafín.

—Tómese este remedito, es amargo como la risa de don Gervasio —se burló, haciendo un guiño a los otros que le observaban—, pero lo curará.

Serafín tomó el cazo de barro y bebió el líquido. Amargaba demasiado y estuvo a punto de arrojarlo.

— ¡A la gran chucha! ¿Qué es esto, compa Teo?

—No pregunte, hombre. Ya va a estar bueno. Si yo soy curandero viejo. Para esas fiebres malignas no hay como la quina.

—Y en verdá —dijo Lucas aproximándose— que usté tiene remedio para todo. Le quitó a Pedro la tos de perro que tenía. Le quitó el mal de ojo al chigüín de Micaela Reyes. Es mero curandero. ¿Quién le enseñó?

—Los espíritus de la naturaleza —contestó en broma.

—¿Los espíritus de la naturaleza? —preguntó intrigado Marcos, pensando en las brujerías y poderes ocultos del Tuerto Simón y de don Juan Anteportam López.

—Sí; los espíritus de la naturaleza lo dan todo. Van a ver ustedes cómo voy a curar a Juan González de las llagas que se le han hecho en los brazos y piernas. Conmigo no hay enfermedad que pueda. A la Martha Sánchez, también le voy a sacar toda el agua que tiene en la sangre, porque eso es lo que tiene: agua.

—Dicen que es mal que le han echado a la pobre.

—Papadas; Martha Sánchez está hidrópica.

Los Montoya admiraban a Doroteo por su sabiduría. Marcos no podía apartar de su mente el recuerdo de Rogelio Lázaro. ¡Ah, si Doroteo se enterara de lo que había prometido al hijo del Alcalde para que no lo castigara en el cepo! Pero eso, a nadie se lo contaría, ni siquiera al Tata-Cura que se lo preguntó en una confesión.

"¿Le contaré a don Rogelio estas cosas que dice Doroteo? ¿Para qué pueden servirle? Mejor inventaré otras cosas para salir del compromiso; porque si no cuento algo, don Rogelio me zampará al cepo".

—Cho, Marcos ¿en qué diablos pensás que estás ido? Ni que estuvieras enamorisqueado.

—A lo mejor anda detrás de la Fulgencia.

—Vaya, pues ¿no puede uno hablar callado?

—No le hagas caso a Cristóbal —aconsejó Doroteo y, señalando con el brazo—: Allí vienen ya los otros escueleros.

Pedro Cano, Juan González, Tobías Cortez y Cipriano, llegaban juntos, conversando en voz alta sobre la noticia de la Peste en el sur.

—Bueno, muchachos —dijo alegremente Cipriano—, están ustedes en el colegio. De aquí van a salir hechos unos Doctores.

—¿Doctores en qué?

—Eso depende de ustedes; puede ser en escritura o números; también en "burrología" —luego, cambiando el humorismo en seriedad: —Aquí, en este colegio, aprenderán muchas cosas que nunca se han imaginado.

El herrero González andaba sin camisa y mostraba en sus brazos y el tórax numerosas llagas purulentas. Las quemaduras de las chispas de la fragua se le habían infectado y emanaban pus. Eran muy dolorosas y por más agua y vinagre que se pusiera, no las hacía sanar.

—Antes de que se vaya —le dijo Doroteo a Juan— acuérdeme para darle una mantequita que le va hacer mucho bien si se la pone.

—Dios quisiera que me llegara, porque meramente ya no puedo trabajar en la herrería; y es más: miren —y se levantó el pantalón, dejando ver las piernas igualmente llagadas y purulentas.

—Póngase la mantequita; eso lo va a mejorar.

A continuación, Cipriano y Doroteo comenzaron a enseñar a los rudos y toscos hombres el misterio de las letras, así como habían hecho con ellos en los cuarteles de las tropas unionistas en Guatemala. Ambos tenían paciencia y con la confianza de amigos les fueron quebrando la timidez que no podían ocultar por su atraso.

Resultaba un triunfo de los Cano lograr que aquellos hombres se inclinaran en busca de las letras, pues la mayoría de los pobladores de Ilamatepeque era reacia a la enseñanza y sustentaba el principio de que saber leer estorbaba a un buen católico porque aprendía cosas contrarias a la doctrina cristiana; para ganar la gloria eterna, saber leer y escribir no hacía falta. Por lo contrario, aquellos que sabían firmar estaban al borde de la tentación del demonio, pues podrían firmar pactos con Satanás para obtener bienes terrenales y riquezas, perdiendo así la gloria celestial.

Las manos ásperas y rudas, acostumbradas a las labores pesadas, sufrían como de parálisis para poder manejar el lápiz y trazar una letra, sobre todo, las manos de Pedro Cano y Juan González resultaban demasiado torpes para esa nueva habilidad a que les inducían los Cano. No obstante, tenían voluntad; querían satisfacer a sus amigos, imitarles en algo de lo que ellos consideraban era bueno y servía para hacerse hombres. Los Cano, ingeniosamente, les habían despertado cierto anhelo de superación, de romper el cerco de piedra que encerraba a los hijos de Ilamatepeque.

En cambio, Cristóbal, Serafín y Tobías Cortez, jóvenes inquietos, presentaban mejores condiciones para el aprendizaje. Desde ese día, la aislada choza de los ex-combatientes unionistas, fue llamada por los amigos con el nombre pomposo de "El Colegio"; así la bautizaron con humorismo poblano y todos emprendieron la tarea como jugando, por una diversión, como para aprender trucos, en los que los Cano eran expertos. Doroteo decía:

—Ya van a ver esos chompipes del Cabildo si podemos o no servir como Preceptores.

EXPULSAN A UN LADRON

—¿A dónde vas, muchacho bruto? ¡Por andar de noche te va a salir La Sucia o El Cadejo?

—Si voy con "Los Tres Macacos", mama.

—¡Ah, picarito: esa junta no me la hace buena! Ve no sea que vos andés también como ellos, detrás de los brujos de "El Colegio".

—Pero, mama ¿quién le ha dicho que son brujos?

—¿Ves? Ya me lo suponía: vos caíste también en maleficio como la Eulalia de Cándida. ¡Patrón San Cristóbal, ayúdame a salvar a este muchacho de los cuernos del demonio!

—Cállese, mama. Usté como que está chiflada. Nada malo le han hecho los Cano y sólo pasa hablando de ellos. La va a castigar Dios, mama.

Estos diálogos se repetían a menudo, al anochecer, en casa de Casimiro Cortez, entre la madre Lucía y el hijo. Tobías, íntimo amigo de Serafín Montoya, era uno más en el grupo de hombres que se reunían en "El Colegio" de los hermanos Cano a pasar las veladas, divirtiéndose con los relatos de los ex-soldados y tratando de romper el analfabetismo.

En ese anochecer Tobías marchaba apresurado para encontrarse cuanto antes con los Montoya. Tenía que contarles algo muy especial antes de llegar a "El Colegio". Los Montoya le esperaban en su casa y Tobías les llevó aparte para hablarles en secreto.

—Anoche se robaron el chompipe de Fulgencia. Nos levantamos con mi tata y agarramos a los "roba-gallinas".

—¿Y los entregaron a los alguaciles, compa?

—Pues no. Mi tata quería entregarlos, pero yo me opuse.

—Eso no se hace —explicó Lucas—. Hay que castigar a los ladrones. ¿Quiénes eran? ¿Desconocidos?

—No me lo van a creer, compas —y Tobías hizo una pausa, viéndoles con seriedad—. Eran Chebo Berdugo y Marcos López.

— ¡Marcos López. . .! —exclamaron los hermanos Montoya, sorprendidos por la noticia— ¿El compa Marcos López? ¡No me lo diga, hombré. . .!

—Pues sí se lo digo. Lo agarramos con el chompipe. ¡Susto que se llevaron! Se hincaban, rogando que no los lleváramos a la Alcaldía. Mi papa los quería entregar; pero yo me opuse porque era Marcos; además, ya teníamos el chompipe.

—Malo, muy malo —opinó Cristóbal—. Vamos a contarlo a los Cano, a ver qué dicen ellos.

Se trasladaron a "El Colegio" los cuatro, apresuradamente. Esas cosas debían ser ventiladas al instante por su delicadeza. Con los Cano estaba sólo Pedro, ayudándoles a tejer un matate de "cabuya". Tobías Cortez relató el suceso de la noche anterior para que los amigos dieran su opinión.

—Lo hubieran entregado a los alguaciles con todo y chompipe —dijo Cipriano, con disgusto—. No se puede perdonar a los ladrones, sean quienes sean.

—Pero hombre —expresó Doroteo, preocupado— es raro que Marcos ande metido en líos de chompipes. Nosotros lo conocemos bien.

—Eso quién sabe —intervino Pedro—. Marcos no es la primera vez que mete las uñas en lo ajeno.

— ¡Noooo!

—¡Síííí! Ya una vez estuvo todo un día y una noche en el cepo. Hará cinco años. Se robó una cabra. Lo agarraron con ella como ahora con el chompipe.

— ¡Y por qué no nos habías dicho, primo?

Pedro se encogió de hombros, sin contestar. Doroteo comentó:

—En cinco años pudo haber cambiado.

—El que nace tacuacín, tacuacín se queda hasta el hoyo. —prosiguió Pedro Cano—. Y, ya que se presenta la ocasión, voy a contar la verdá: hace poco lo capturaron robando frutas en la propiedad de don Gervasio. No lo metieron preso ni al cepo, porque Rogelio lo fio.

— ¡Lo perdonó. . .! ¿Por qué? —preguntó sorprendido Cristóbal— Rogelio no es hombre de perdonar a nadie.

—Raro —secundó Serafín, el que padecía de fiebres—: ¡es tan raro. . .! Si Marcos le estaba robando ¿por qué entonces, ayer al mediodía, estaban juntos bebiendo en el estanco? Yo los vi con estos ojos.

—Pues, compas —dijo en voz alta Cipriano—, ustedes saben que Marcos ha sido pícaro, y se callan; ustedes lo ven bebiendo con Rogelio Lázaro, que se nos ha tirado de enemigo, y se callan. ¡No, hombres!

—De verdá, pero es que. . .

—No hay pero que valga, compas. No podemos permitir que esté metido entre nosotros. Eso es ser tontos y orejones. Si Marcos es tipo así, no tardará mucho en jugarnos una mala pasada. A lo mejor es un espía.

—De verdá.

Los hombres sencillos encuentran que la presencia de Marcos López entre ellos puede ser, efectivamente, una amenaza, porque ahora hay muchas gentes enemigas gratuitas de los Cano. Como hombres honestos e ingenuos nuncan descon

91

fiaban de los demás hombres. Todos dieron sus opiniones censurando la conducta de Marcos y llegaron a la conclusión de expulsarlo y no permitirle más la llegada a las reuniones. Acordaron hasta negarle la palabra y el saludo. Hombres así eran indignos de mantener relaciones de amistad con las personas trabajadoras y honestas.

Ya cuando tenían encendidos los ocotes, llegó el herrero González, seguido de dos hombres jóvenes, campesinos; llevaban las cutachas metidas entre el cinturón de cuero crudo, y los "caites" prendidos de la pretina.

—Aquí les traigo a mis sobrinos, Camilo y Lupe Torres. Viven en Chinda. Son muchachos muy honrados. Ya les había hablado de ellos. Quieren, también, ser léidos y para mejor entender —dijo bajando la voz—, son partidarios de Morazan, como nosotros.

—¡Qué bien! —exclamaron los Cano—. ¡Esta es su casa, amigos y, venga, choque esas cinco azucenas! ¡Aquí tiene la mano y la vida de dos soldados de Morazán!

—Muchas gracias. Tuvimos noticias en Chinda de que estaban ustedes aquí y que tenían un colegio. Nosotros dijimos: "¡Son morazanistas; vamos porque algo debemos aprender de ellos!"

—Eso de Colegio —explicó Doroteo— es una broma. Tratamos solamente de enseñar a escribir y leer a los compas, así como sabemos nosotros.

—Pero a nosotros —dijo con franqueza Camilo, que parecía ser el más extrovertido— también nos dijeron que ustedes enseñaban a ser Masones.

La risa de los Cano fue incontenible. ¡Lo que decía la gente! ¡Quien se confiaba de los díceres, estaba frito!

—En eso los han engañado, compas. Nosotros no somos Masones. ¡Cuánto deseáramos serlo! Conocimos a muchos Masones y son muy buena gente; pero nosotros no llegamos hasta allá. Fuimos soldados. Mi mano y yo somos sargentos.

Pero no pudimos entrar en la Masonería. Allí, en sus Logias, sólo hay gentes de mucha cabeza.

—Bueno, pues si no son Masones —dijo Lupe Torres, con resignación— ¡qué le vamos hacer! Mala suerte de nosotros. Con sólo ser soldados del General Chico Morazán, eso llena y sobra para que los querramos de corazón.

—Allá, en Chinda —intervino Camilo con entusiasmo— hay muchas personas que son unionistas y ahora que han vuelto los "gorgueras" a mandar, todos están para ir a la guerra, aunque hayan matado a Morazán.

Doroteo, escuchando a los hombres, comenzó a redondear una idea. Era extraordinario que antes no se le hubiera pasado por la mente. Hasta ahora, escuchando al mozo de Chinda, le vino sorpresivamente. En todos los pueblos había hombres morazanistas, gente humilde, pero de esa que era la dispuesta a luchar por su causa. Allí mismo, en Ilamatepeque, esos jóvenes y viejos que eran sus amigos, que llegaban a buscar luz para sus mentes, calor, fe y esperanza sobre una vida mejor; esos eran hombres que podían servir para las futuras luchas por la libertad. ¿Por qué no organizarlos secretamente, con fines concretos para cuando sonara otra vez la hora del pueblo? ¿Acaso no estaba el General Trino Cabañas preparando la revancha?

—En Chinda y Gualala, la gente pobre está brava porque el gobierno nos está zampando otra vez los diezmos y las primicias.

Para Doroteo Cano, la nueva idea era su obligación. Ese era el camino: debían organizarse secretamente para estar listos y actuar en llegando la hora, incluso enseñarles el arte de la guerra, que ellos sabían con tantas experiencias.

La llegada de los Torres hizo olvidar el disgusto provocado por Marcos López y sus fechorías de ratero. Y, contrario a lo supuesto, Marcos llegó retrasado a la hora habitual, pero llegó, como si nada hubiera sucedido en la noche y al ver a Tobías ni siquiera se inmutó. Estaba seguro de que Tobías iba a encubrir su acción delictuosa, así, como lo había perdonado, dejándolo en libertad junto con Eusebio Berdugo, su compañero de felonías.

Cuando Cipriano vio la forma cínica con que pretendía continuar engañando y simulando, se encolerizó. Deseos tuvo de saltarle al frente y darle una paliza; pero se contuvo.

—Llego tarde, compas —se disculpó Marcos, impregnando con su aliento alcoholizado el aire que respiraban los otros— porque tuve un negocito.

—Negocito —le espetó Cipriano, enfrentándosele sin acordarse que tenían visitas—. Negocito de jolotes y cabros ¿no? Oyeme Marcos López: nosotros te creíamos hombre honrado porque lo parecías; pero eres un desvergonzado, un ladrón. Nosotros aquí no toleramos a los ladrones. Somos pobres pero decentes.

—Yo soy tan honrado como ustedes— dijo Marcos, haciéndose el ofendido—, nadie me puede pisar el rabo.

—¿Honrado? —gritó Tobías, gesticulando—. ¿Honrado y te metés a las casas de los amigos, por la noche, a robar jolotes?

Parecía que ya iba a comenzar la bronca y que Tobías ahora no perdonaría a López su cinismo. Doroteo intervino con severidad:

—Nada de discusión. Esto quedará arreglado inmediatamente. Marcos; allí está la puerta. Lárgate y no vuelvas más a poner tus sucias patas en esta casa ni en sus alrededores. Si vuelves por aquí, te pesará. ¿Lo oyes miserable roba-jolotes?

—Está bueno, pues —dijo Marcos, temeroso de recibir un golpe —. Está bueno; no es para tanto. . .

Salió de la vivienda con una sonrisa de truhán y se perdió en la noche con su odio naciente. Explicaron al herrero y a los mozos visitantes de Chinda lo que había sucedido y el motivo por el cual trataron de aquella manera a Marcos López. Y todos aceptaron la medida como excelente porque no se podía tolerar entre ellos a hombres de aquella calaña.

Camilo y Lupe quedaron vivamente impresionados. La determinación de los Cano ponía al descubierto su temple de soldados y era garantía de honradez y respeto.

—"Son hombres machos —pensó Camilo Torres—. ¡Así me gustan los hombres: sin dobleces!"

Los nuevos alumnos se comprometieron a venir desde Chinda tres veces por semana, y a buscar entre sus amigos aquéllos que quisieran imitarles y acompañarles. Camilo pensó que habría que buscar a los más honrados de sus amigos, no fuera que les apareciera otro Marcos López traído por ellos. Era asunto de responsabilidad y honor, y esto era sagrado para ellos, humildes descendientes de los antiguos Mayas.

Más tarde, al quedar solos en la vivienda los hermanos, Doroteo expuso a Cipriano la idea que había surgido en su mente. Ellos podrían hacer una organización de unionistas, de federalistas, en secreto. Le había nacido la idea al escuchar a los mozos de Chinda preguntar por los Masones. ¿Por qué no hacer como los Masones? ¿Juntarse en secreto para mantener vivas las ideas de Morazán y adiestrar a los amigos para la guerra que no habría de tardar?

Cipriano aplaudió. Estaban perdiendo tiempo, cuando su primer paso debió ser ése. Y, entre los dos, comenzaron a planificar la organización secreta con sus amigos. A más de enseñarles a leer y escribir, les enseñarían y harían de sus amigos verdaderos soldados de la causa de Centroamérica. ¿Acaso el Caudillo no había dejado su ideal unionista y liberal para la juventud? Sí. Y ellos, como leales soldados suyos, iban a organizar a los jóvenes de Ilamatepeque para que respondieran presente cuando sonara la hora del combate por la libertad, la igualdad, la fraternidad. La idea les hacía sentirse muy contentos.

ANHELOS POLITICOS

Son seis hombres los que, tres veces por semana, hacen el viaje desde Chinda y Gualala hasta Ilamatepeque. Y son seis los que, en Ilamatepeque, se unen con ellos en "El Colegio" de los Cano. Insensiblemente, las cosas han ido transformándose. Los hombres ya deletrean y hacen garabatos. Los jóvenes demuestran entusiasmo y capacidad para asimilar la elemental enseñanza. Juan González y Pedro Cano son los más retrasados, especialmente en la escritura. Sus gruesos dedos, acostumbrados al rudo bregar, se muestran inexpertos e inhábiles para dominar el pequeño lápiz de los Cano. Al principio se ruborizaban. Luego, la confianza alejó el rubor, aunque siempre conservan un complejo de inferioridad ante la habilidad de las manos y la agilidad mental de los muchachos.

—Es que ya estamos viejos --se disculpa, sonriendo, Pedro— y la gente, entre más vieja, más pendeja.

Se ríen de su ocurrencia, pero lo estimulan y Pedro y Juan continúan batallando con el pedazo de lápiz que a cada momento, con un quejido, rompe su punta. Es necesario obtener más lápices, más papel y algún libro.

Un día, Cristóbal y Tobías se ofrecen para ir a Santa Bárbara en busca de material. Entre todos hacen una contribución. Y, otra noche, ante la alegría general, estrenan lápices nuevos, largos, relucientes, en papel blanco, de oficio, y una pizarra y varios pedazos de tiza. Todos están alegres y ríen como niños probando los lápices y la pizarra, que nunca habían conocido, haciéndose bromas como escolares.

Eso es progreso en "El Colegio" de los Cano, mas lo otro tiene importancia capital y también ha progresado maravillosamente. Han creado su grupo de federalistas. Es una or-

97

ganización secreta, política, con tendencias militares. Los Cano están practicando las experiencias vividas por los caminos de Centroamérica. Se han juramentado. Morirán primero antes que traicionar a la Asociación que, por iniciativa de Doroteo, llaman respetuosamente "Asociación Federal de los hijos de Morazán". Todos los anhelos de los mozos poblanos se traducen en las reuniones, por la magia del pensar, en esperanzas hermosas, patrióticas, humanísimas.

Para ellos ya las palabras libertad, igualdad y fraterninad, son como un himno de combate. Ellos, que son siervos bajo el dominio conservador-clerical, que están bajo los pies de los "gorgueras" y que, para subsistir, tienen que sobreponerse, a veces peleando contra los demás hermanos de hambre; ellos, hombres simples de Ilamatepeque, de Chinda, de Gualala, de todos los caseríos, no solamente están inconformes con esa situación, con ese sistema de vida injusto, sino que, al escuchar las palabras de sus reivindicaciones y la bandera de su lucha, que es el General Morazán, se entusiasman con los ojos fijos en un mañana hipotético, donde se realizarán sus anhelos.

Esa hora es de derrota para los hombres que en Ilamatepeque, en Honduras, en Centroamérica, hacen suyos esos ideales de redención y justicia; pero es más la derrota en lugares como Ilama, donde la ignorancia, la superstición y la tradición religiosa, están clavadas férreamente en el alma de las mayorías populares. Sacar esos clavos, liberar de prejuicios e ignorancia a los hombres paisanos, he ahí el problema que los soñadores Cano se proponen solucionar. Para comenzar, tienen doce hombres, los del Cristo bíblico, que sienten ya la urgente necesidad de arrancarse los clavos y liberar sus espíritus.

Doroteo y Cipriano se entusiasman políticamente, ideológicamente. Cipriano, estando prisionero del amor de Eulalia Durán, desde que tienen la Asociación Federal de los Hijos de Morazán le dedica menos tiempo; y es que su pasión por la causa de su jefe amado y sacrificado, es mucho más poderosa que su amor a la hembra; y, no obstante, su pasión política no alcanza la fervorosa y alucinante pasión de su hermano. Doroteo es el más apasionado de los dos. Todas sus fuerzas vitales se concentran en su causa revolucionaria, en el ideal de su General Morazán, en su fe, casi fanática, del retorno de la libertad y la unión centroamericana por la que tanto luchó en los campos de batalla.

Durante las conversaciones políticas, Doroteo Cano se muestra convincente, dogmático, quizá sectario; fuera del liberalismo morazánico, nada hay digno en Centroamérica. Cipriano es fogoso, de palabra fluida, pero carece de esa fe mesiánica que caracteriza a su hermano. Para Doroteo no hay una duda en la doctrina liberal revolucionaria, tal como la interpretó en los años de la Federación de Centroamérica, como tampoco tiene una duda en que mañana volverá la victoria del pueblo. No hace caso a la dura realidad del presente. Esa no podrá durar mucho porque está contra el hombre, contra la dignidad, contra la libertad. Ya en el Istmo los pueblos han probado el delicioso manjar de la libertad y de la justicia; han sido ciudadanos de una Federación de Estados y será imposible sacarles de la conciencia los principios revolucionarios que les enseñaron a ser hombres libres.

Escuchando a Doroteo, hasta el más pesimista siente los clarines de los ejércitos morazánicos que arrollan a su paso a los conservadores, aristócratas y clericales. Doroteo va más allá en sus férvidos entusiasmos; hace planes militares y políticos; ya tiene dispuesto lo que será después del triunfo su pueblo natal. Ha trazado con manos de ensueño las nuevas rutas que seguirá el pueblo; inclusive tiene ya la nómina de los hombres honrados que irán a ocupar los puestos municipales en Ilamatepeque. Doroteo sueña despierto y va contagiando con su ilusión revolucionaria a todos sus compañeros, incluso a los demás viejos, que ya no tenían esperanza, como Juan González, o que nunca la habían tenido, como Pedro Cano, su primo silencioso.

—El triunfo es un hecho —afirma categórico—: nosotros cambiaremos toda esta porquería que hoy ensucia a Ilamatepeque. Vamos a levantar un pueblo nuevo donde nadie tenga hambre ni ande enseñando las nalgas ni se lo coman los piojos ni lleve las patas al aire. Cuando ganemos la guerra, no nos vamos a quedar allá; vendremos al pueblo para hacerlo andar. Acabará la ignorancia; no tendremos hombres ni niños sin que sepan leer y escribir, porque fundaremos escuelas; nadie será papo para dejarse engañar con trucos de maromero, como ahora ocurre cuando les hacemos "juego-de-manos" con una moneda o un pañuelo. Ya verán ustedes cómo será. Para algo hemos visto otros lugares y conocido otros pueblos y vivido como hombres libres. Nosotros vamos a cambiar todo en Ilamatepeque. Y será pronto, compañeros ciudadanos, muy pronto, porque en toda Centroamérica los hombres como nosotros, los Cano, y como ustedes, futuros soldados, se levantarán en armas contra los déspotas, contra "Racacarraca" y Chico Ferrera y amarraremos de nuevo la Federación. Esto no se discute. Esto es tan verdadero como si Dios bajara y se los dijera aquí mismo. No hay vuelta de hoja: ganaremos la revolución.

Y los hermanos humildes, pero limpios, robustecían su conciencia liberal prendidos los ojos en una estrella que anunciaba el nuevo amanecer en la palabra cálida de Doroteo Cano. Así, este grupo de hombres era feliz con su esperanza, honrado en sus acciones, ejemplar en la convivencia social.

Un suceso vino a empañarles sus días de reuniones secretas. Juan González, el herrero, gravó de su enfermedad. Las picaduras de las chispas y esquirlas de hierro al rojo se agrandaron en sus miembros, convirtiéndose en llagas purulentas. Las mantecas que Doroteo le ponía le eran ineficaces. Las llagas provocaron la corrupción de la sangre y Juan tuvo que tirarse a su tarima, sin que su gran fuerza física lo defendiera. Los años, los trabajos, la desnutrición, la falta de higiene personal, la carencia de tratamiento y medicinas, se confabularon para postrarlo incurablemente. Ya Juan no podía asistir a las reuniones de "El Colegio". Ni siquiera se podía levantar para encender la fragua. Era un hombre solo; ningún miembro de su familia vivía con él. Estaba expuesto a la caridad pública; mas sus amigos de "El Colegio" no lo abandonaron y le prestaron todo servicio como si hubieran sido sus padres, sus hermanos o sus hijos.

La enfermedad del herrero que tanto dolía a los hermanos Cano y a los muchachos, sirvió a los adversarios para criticar y calumniar. Decían que esa enfermedad de Juan no era natural sino provocada por los hermanos Cano, que ya eran conocidos como curanderos y brujos. Tobías Cortez, como consecuencia de aquellas calumnias, rompió con su familia. Fue una escena que nunca olvidaría.

Había pasado la noche en casa del enfermo González, acompañado de Serafín, para cumplir el turno correspondiente, porque esa era la forma de poder ayudar al infortunado camarada. Al entrar en su casa se encontró con un consejo de familia, en el que participaban Cándida Durán, el Tuerto Simón y el Sacristán Chángel García. Algo extraordinario sucedía en su familia. ¿Se habría fugado Fulgencia con algún hombre? El sabía que Marcos López había enamorado a su hermana, pero, a consecuencia del robo del chompipe, eso ya no podría continuar.

Su madre, Lucía, fue la que inició lo que él ni siquiera sospechaba.

—Vení, hijo; hemos mandado a traer al Tuerto Simón para que vea tu caso. El te va hacer un buen tratamiento.

—¿Es que me ven cara de enfermo? Yo estoy más sano que todos ustedes.

—No, m'hijo, no te opongás; es por tu bien. Mejor por las buenas. Es necesario acabar con la brujería que te han echado los Cano.

—Cierto, Tobías —afirmó Casimiro, secundando a Lucía—; fíjate cómo te tienen de baboso que hasta te utilizan para hacer sus porquerías. ¿Es que estás ciego y no ves que están matando al pobre Juan González con maleficios del diablo?

—Eso es m'hijo —volvió a la carga Lucía, apodada "La Pulgona"— y así como hoy están matando a Juan, mañana te matarán a vos o te entregarán al demonio en cuerpo y alma.

101

Tobías sintió pena por sus padres tan tristemente atados a la superstición. Quizá hubiera dejado pasar el asunto, tratando de hacerles comprender la verdad de las acciones humanitaristas que los Cano estaban haciendo y todos los de la "Asociación Federal de los Hijos de Morazán" con el compañero enfermo de gravedad. Sería difícil convencer a sus padres de sus errores, pero bien podía intentarlo; al menos, ese era su deber de hijo. Sin embargo, al intervenir el Tuerto Simón, Cándida y el Sacristán García, afirmando la calumnia y ordenándole, como si fueran padres o parientes, que se sometiera al tratamiento del Tuerto Simón, ya no soportó y estalló en cólera.

—¿Es que son majaderos todos ustedes? ¿O es que son pícaros y perversos?

—¿Lo ven, lo ven? —señaló, triunfante, el Tuerto Simón—. ¡Lo que yo he dicho: está bajo el influjo de un hechizo, está grave tu hijo, Casimiro! ¡Míralo como tiembla de cólera! ¡Es el poder de los brujos! ¡Es el maleficio! ¡Le han zampado cantárida! ¡Se le están atravesando los sesos!

Tobías tomó al Tuerto de los hombros, al aproximársele éste con unos ramos de ruda en las manos, pero, sin esperarlo, recibió el baño de un líquido que, por el olor, Tobías reconoció que eran orines. Lo iba a estrellar en la pared de tierra, pero se contuvo. Simón estaba viejo y, aún siendo un pícaro, le respetó por las canas. Pero sí hizo uso de sus puños cuando García, agarrándolo por detrás, lo quiso inmovilizar para que el viejo curandero le hiciera el tratamiento. Del primer puñetazo lo hizo tambalearse y del segundo le dejó tranquilamente en el suelo. Su padre y las mujeres que pretendieron cooperar en su domesticación, ante aquella actitud se apartaron haciendo la señal de la cruz.

—¡Pobrecito; Tobías está endemoniado, está endemoniado!

El muchacho comprendió la confabulación que había en el vecindario contra sus amigos y maestros Cano. El Tuerto

Simón, que al principio se presentara como amigo de ellos, ahora estaba adversándoles sin duda por celos en el curanderismo. Simón se consideraba, después de Juan Anteportam López, el hombre con más virtudes para curar enfermos del cuerpo, mente y alma, según sus propias palabras, y, desde cuando Doroteo había curado la tos de Pedro Cano, un mal-de-ojo a una niña, las fiebres de Serafín y muchas otras enfermedades, los celos lo habían llevado al bando contrario y era uno de los más firmes calumniadores, acusándoles de ejercer la brujería y estar en relaciones con los espíritus de las cuevas de Malín o de Pencaligüe.

— ¡Pobrecito —se lamentaba Cándida—; ¡igualito, igualito a mi Laya! Se les ponen los ojos vidriosos, como chuchos con rabia, gritan, patalean y chillan. ¡Es brujería de esos malditos socios de Satanás, Virgen María Purísima!

— ¡Echen agua bendita —sugirió Casimiro—, tal vez así se le aplaca el mal! ¡Y todo por esos malditos brujos de "El Colegio"!

—Sí; ellos son los culpables —aprobó el Tuerto desde el patio, pues temía que Tobías le dejara adormecido como a García, el Sacristán, que hasta ahora comenzaba a incorporarse del impacto de los puñetazos—. ¡Hay que denunciar sus fechorías ante el señor Alcalde! ¡Hay que castigar a esos empautados con los demonios de los infiernos!

Ante aquella situación, y viendo que iban llegando más vecinos a participar en el embrollo, ya no vaciló más. Sacó sus pocas pertenencias que tenía, lió su maleta y, sin hacer caso a los exorcismos del Tuerto Simón, ni a los gritos de las mujeres, salió de la casa precipitadamente. Detrás de él quedaba más firme la idea de que obraba bajo el influjo de un hechizo, hecho por los Cano. Tobías se propuso no volver más a esa casa donde la superstición era directriz en la vida.

Tobías fue a pedir posada donde la familia Montoya, cuya casa era grande y, los jóvenes, sus viejos amigos y compañeros en la Asociación. Les informó lo sucedido con su familia y permanecieron atentos porque cada día aumentaba la aversión hacia los Cano.

Los principales del pueblo habían dado demostraciones de antipatía y ni siquiera les habían permitido a los Cano hacer una milpa en las buenas tierras de las vegas del Ulúa; allí pertenecía a los principales del pueblo y para poder los Cano y sus amigos trabajar un maizal, habían tenido que ir lejos del pueblo, hacia el Oriente, y en tierras malas.

Todos los jóvenes y los Cano participaban en el trabajo común de la milpa y, como les habían negado las buenas tierras, se preocupaban de manera que, aún en ese lugar, les resultara un maizal grande y hermoso, fruto de los puños de todos los que consideraban las gentes supersticiosas que tenían relaciones con el diablo.

—Déjenlos que hablen, compas —pedía Cipriano a los muchachos—, nosotros sabemos lo que somos y, lo demás, no nos importe. Vamos a trabajar honradamente y tendremos nuestra milpa como la de cualquier ricacho.

Y, en verdad, los hermanos Cano se reían de las habladurías de las gentes ignorantes que los calificaban de brujos.

LOS TEMORES DE EULALIA

Juan González murió en la madrugada de un viernes. El turno de esa noche le tocó a Doroteo y Lucas. Las llagas del herrero se habían hecho una sola, la que le corroía el cuerpo. La fetidez que emanaba enrarecía el ambiente desde antes de morir. Para contrarrestar el hedor quemaban copal en un trasto y, aún así, era un sacrificio acercarse al enfermo tirado en la cama de cuero de aquel cuartucho sin ventilación y muy oscuro.

Abnegadamente, los Cano y compañeros dieron todas las vueltas necesarias para el entierro. No llevaría ataúd; le confeccionaron un tapesco de varas de jamacuao, y en él, depositaron el cadáver envuelto en varias telas que encontraron y después en un petate amarillento. Doroteo envió a Serafín y Tobías a Chinda y Gualala llevando la noticia del fallecimiento de González. De allá vinieron los familiares y algunos amigos para estar en el entierro. Muchos vecinos, al saber la noticia, cooperaron. Juan había sido un hombre de bien en Llamatepeque.

Fue necesario que una comisión de vecinos fuera a hablar al Alcalde para que autorizara los dobles en las campanas de la iglesia, pues el sacristán García se negaba rotundamente a tocarlas, aduciendo que Juan González había muerto de maleficio, de brujería, y que las campanas de la iglesia no debían doblar por un alma endemoniada. Por fin, cedió con la orden de don Gervasio Lázaro.

—Y pensar —comentaba Pedro Cano— que en la fundición de esas campanas, Juan González puso su trabajo gratuitamente, sin devengar un medio real siquiera. . .

—Cosas de la vida, Pedro; cosas, cosas al revés. . .

105

—Por esas cosas es que la religión se está acabando. Ahora todo es pisto y dicen que ya nos van a zampar otra vez los diezmos y primicias. ¿Qué te parece?

—No es por hablar; yo soy muy católico, así como mis tatas me enseñaron, pero sin ir muy lejos y viendo las cosas, estábamos mejor cuando Chico Morazán mandaba.

—No digas muy alto esas cosas —aconsejó Pedro a su amigo Joaquín Montoya—, andá mejor a espantarle moscas al difunto.

—Tenés razón, porque en boca cerrada. . .

El sepelio estuvo concurrido y sin ninguna novedad, pero, esa noche, en casa de Casimiro Cortez y del Tuerto Simón y, en la calle, el sacristán García, todos hacían muchos comentarios sobre ocurrencias vistas en el entierro. Se decía que el muerto era ya sólo gusanos y que, por todo el camino, hasta la sepultura, había quedado un reguero de animales grandes y peludos que, al caer a la tierra, se enterraban sin dejar rastro. Esa era obra de "Los brujos de El Colegio".

También contaban que, por la madrugada, a la hora de morir el herrero, había soplado un ventarrón y que todos los perros del pueblo maullaron como cuando ven al demonio. Eso se debió a que los Brujos Cano entregaron en ese momento el alma de Juan al propio Satanás. A pesar de haber muerto en la madrugada tranquila y sólo ante Doroteo y Lucas Montoya, afirmaba García que a la hora de morir el herrero, había llegado, seguramente montado en el huracán, un hombre alto, vestido de negro, con muchos anillos y espuelas de oro; un hombre que echaba fuego por los ojos como si fuera una fragua. Ese hombre era el demonio porque tenía rabo.

—Era el mismito Satanás que vive en Pencaligüe y Malín. Los Cano le entregaron el alma de Juan González. ¿A quién irán a entregar ahora?

García sabía contar aquellos sucesos que él había presenciado desde su casa. Donde Casimiro Cortez se santiguaba, invocando a los santos, al escuchar aquellos sucesos espeluznantes en la muerte de una de las víctimas de los Hechiceros.

—No; con esos endemoniados, llama está perdida. ¿Que Dios se apiade de nosotros?

—Dicen que en las noches vienen a ese tal Colegio docenas de "Coludos" y que hacen festines comiendo muertos.

— ¡San Cristobalito libre a m'hijo Tobías de semejante hechicería! En "El Colegio" había luto en los corazones. Los deudos que vinieron al entierro desde Chinda y Gualala, se quedaron como huéspedes de los Cano. Los sobrinos del herrero estaban muy agradecidos con todos los compañeros de la "Asociación Federal de Hijos de Morazán" porque habían cuidado hasta el último momento a su tío.

Los Torres y los otros amigos que les acompañaron, se quedaron en "El Colegio"; habían comprado una cususa en el pueblo y allí estaban tomando sus tragos para disipar la pena. Estaban entristecidos y hasta el buen humor de Cipriano se ausentó. La Asociación perdía a uno de sus miembros.

Apenas comenzada la noche, llegó uno de los hijos de Pedro Cano con un recado para Cipriano.

—Dice Laya que quiere hablar con usté, tío Cipriano.

Cipriano fue detrás del muchacho. Allá, en la casa de Pedro, le esperaba Eulalia. Su rostro denotaba contrariedad, preocupación. Fueron a sentarse bajo un ciruelo. Era una noche de luna y la chiquillada del pueblo jugaba en los patios y las calles, correteando, gritando, mientras los adultos conversaban de los problemas del momento.

—Vamos a ver, Laya ¿qué te pasa? Hoy te noto muy cambiada.

—Cipriano, no estoy cambiada. Yo te quiero y he jurado ante la Virgencita ser tuya o de nadie. Ya has visto cómo mis tatas te malquieren y todo lo que sufro en mi casa por quererte así. Pero a mí eso no me importa. Lo que me preocupa es otra cosa: tu vida.

—¿Eh? No te comprendo, Laya. Yo estoy sano.

—Lo sé. Yo me refiero a tu tranquilidá. ¡Tengo miedo, Cipriano! Un miedo horroroso a lo que te puede pasar, a vos y a tu hermano. ¡La gente habla mucho y en mal de los dos! ¡Hay personas que los odian a muerte!

—¿Cómo lo sabes, Laya? ¿Has oído algo. . .!

—Bueno, yo nunca te he querido contar, pero el tal Rogelio Lázaro anda diciendo a voces, cuando se embola, que te va a enseñar a ser hombre y que cualquier día de éstos, a los dos, los va a meter en la cárcel. Rogelio es malo, por eso yo nunca lo quise. Y acordate que es hijo del Alcalde y manda más que él.

Cipriano permaneció callado. Sabía eso. Rogelio, desde el día del incidente en el camino del río, le venía odiando y provocando. Su rencor por la derrota amorosa lo impelió al odio y, teniendo poder, fácil le sería procurarle mal. Además, no podía olvidar Cipriano que las autoridades del pueblo los tenían como enemigos y que en cualquier momento los podían capturar acusados de morazanistas.

—Yo sé que Rogelio me odia; él solo no es hombre para pelear conmigo, pero seguramente mandará a los alguaciles.

—Yo lo oí conversar con mi mama. Ellos no me vieron. Por eso me enteré que algo muy peligroso preparan para agarrarlos. Le oí decir que eran brujos y que sólo esperaba la llegada del Tata-Cura para ponerles la mano —y Eulalia relató a su amado los cuentos que ya andaban de boca en boca en relación con la muerte del herrero. Y concluyó—: Es mejor que no se junten en "El Colegio"; tienen gentes para vigilarlos y escuchar lo que hacen y dicen.

Conversaron bastante, hasta cuando se oyeron los gritos de Cándida por el barrio Arriba, llamando a su hija.

—¿Por qué no se van a Chinda, a Trinidad o a Santa Bárbara, mientras se aplaca la gente con sus chismes?

—Sería igual, Laya. No creas que se trata sólo del odio de Rogelio Lázaro. No. Hay algo más que eso: la política, Laya. Es por lo que somos nosotros.

—Yo no entiendo esas cosas. Lo único que quiero es que no suceda nada malo y que nos casemos cuanto antes. No quiero vivir más en mi casa. Mi mama me empuja a Rogelio y el Tuerto Simón me está haciendo remedio contra el mal que vos me has hecho, según dice mi mama. Debés hacer algo, pronto, por vos y por mí. Tengo presentimientos que me hacen temblar de miedo.

—No temas, Layita; saldremos adelante. Yo también te quiero como saben querer los hombres como yo. Si es necesario, te sacaré de tu casa y te llevaré a la mía. Pero, esperemos, Laya; esperemos un tantito; dejemos que vengan las cosechas de maíz.

—Gracias; me hacés muy dichosa. Yo te esperaré siempre.

Se separaron. Bajo la luna, la figura de Laya Durán se alejó entre los árboles hacia las otras casas en busca de la suya. Cipriano, cabizbajo, pensativo, regresó a "El Colegio" donde los compañeros seguían conversando y tomando cumbitos de cususa.

Los de Chinda se habían acomodado para dormir en varios sitios, conversando, mientras, en el centro de la sala, tenían la hoguera de ocote que servía de lumbre.

Estaban todos los amigos, trece en total. Pedro hizo notar el número de miembros de la Asociación; el trece era número malo, según decía la gente.

—Debemos atraer más compañeros —sugirió, sin mencionar su prejuicio del número trece—. Para comenzar, mi hijo mayor, Pedrito, ya días que me pide que lo traiga a "El Colegio". Ya es un hombre y ha salido formal.

—Vaya, Pedro, que poca cabeza tienes —regañó Doroteo—. Ya lo hubieras traído. ¡Tan cerca y haciéndolo perder tiempo!

—Pero, Primo, si es que, como dijimos que poco a poco íbamos a ir trayendo gente para no dar malicia.

—Bien. Traelo mañana. Y, pensando otra cosa ¿cómo pudiéramos hacer para que aprendieran a leer y escribir todos los cipotes del pueblo?

—Sólo haciendo un verdadero colegio, una escuela como las de Guatemala —sugirió Cipriano—. Tal vez pidiendo a las Autoridades de Santa Bárbara, porque, con esos burros que están en el Cabildo, no hay ni esperanza.

Hablaron sobre las escuelas largo rato. Luego, Cristóbal volvió al asunto planteado por Pedro: el ingreso de nuevos miembros.

—Yo conozco varios muchachos buenos del pueblo que quieren estar en "El Colegio". Me han hablado en confianza que desean aprender con los Cano. Y creo que sospechan que tenemos algo más que letras.

—A lo mejor son espías —dijo Cipriano—. Yo creo que debemos traer más compañeros, pero antes hay que conocerlos bien. Porque, sepan que ya las autoridades nos rastrean, queriendo saber qué hacemos cuando nos juntamos.

—¿Y por qué? —preguntó Lupe Torres—. Si las autoridades quieren meterse con nosotros, llevarán las de perder. Para cuatro alguaciles, sobran puños entre nosotros.

—Es verdad, compa Lupe, pero la prudencia es madre de la seguridad.

Y Cipriano, para afirmar más sus palabras, relató varias anécdotas de sus andanzas por Centroamérica. A la media noche se retiraron los amigos del pueblo, quedando solamente los de Chinda y los hermanos Cano. Un rato más tarde, todos dormían tranquilamente. También el pueblo permanecía en silencio, adormecido por el rumor del Ulúa, que pasaba indiferente, reflejando el paso de la luna.

GARROTAZOS

Juan Anteportam López, el curandero "aristocrático" del pueblo indígena, con Gervasio Lázaro, su hijo Rogelio y Antonio Tróchez, habían firmado ya una declaratoria de guerra contra los Cano; sobre todo, el escribano, cuya autoridad moral sobre los habitantes le hacía el amo, el cacique. No descansaba para atacar a los Cano, para crear en el ánimo de las gentes sencillas de llamatepeque y sus alrededores, el veneno de la enemistad y del rencor gratuitos. Las gentes humildes, sumidas en aquella situación de oscurantismo, obedientes a la tradición del cacicazgo y la superstición, eran materia dúctil y maleable para el desahogo enemistoso y perverso de Anteportam y sus aliados.

Rogelio Lázaro, que consideraba al Escribano una autoridad en el conocimiento de secretos y maleficios, le había pedido reiteradamente su cooperación para atraer de nuevo a Eulalia Durán y arrebatarla de los brazos odiados de Cipriano. Ladinamente, Juan se esquivaba:

—Yo no soy brujo, Rogelio. Yo lo único que sé es curar maleficios y no todos. Hay dos clases de magia: una blanca y otra negra. La blanca no es condenada por la Iglesia Católica, porque se trata sólo de hacer el bien a los hombres; la negra es la del demonio, la del mal, y sólo la saben y aplican los perversos, los que han entregado su alma a "El Coludo". Yo, lo poco que sé es la magia blanca.

—¿Quieres decir que es más poderosa la negra, la del Diablo, que la magia del bien?

—Hijo, vos estás muy pichón para entender estas cosas. Los viejos sabemos mucho. Nunca el demonio puede vencer al angel bueno, pero el demonio tiene el poder que el mismo Dios le ha dado para poner a prueba a sus hijos. El Diablo es la tentación; por él nuestro Dios sabe cuáles hijos son dignos de su santa iglesia y cuáles de ir al infierno.

—Ajá, pero yo veo, entonces, que en mi caso, el Diablo que es Cipriano con su magia negra, me está venciendo. ¿No puede ganarle su magia blanca?

Juan Anteportam se veía en trance apurado porque quería hacer recaer la condición de hechicero en sus enemigos. Por otra parte, ya había intentado convencer a Eulalia para que volviese con Rogelio, pero infructuosamente, y, como sujeto de mucha experiencia en el trato de los hombres, comprendió que la muchacha estaba enamorada de Cipriano y nada la haría aceptar de nuevo las proposiciones amorosas del hijo del Alcalde. Podía darle cualquier bebedizo; más, de antemano, sabía su inefectividad. El único camino era alejando a Cipriano, deportando a los dos hermanos del lugar o poniéndolos prisioneros. Y, aún así, Juan no podría asegurar que Eulalia amase a Rogelio. Tal vez solamente eliminándolo para siempre.

—Hijo, ya te dije: Dios Todopoderoso es el que dirige las cosas de este mundo. Si yo supiera magia negra podría competir.

—¿Por qué no aprende algo para este caso mío?

—Mi hijo, recuerda que la Iglesia condena a los hechiceros. Ser brujo es contrario a las leyes de Dios. ¿Has olvidado las doctrinas de Tata-Cura?

Rogelio no insistió, pero en el fondo hubiera deseado que Juan hiciera uso de la magia negra, aunque para ello perdiera su alma con Satanás. No podía tolerar que en el pueblo las gentes comentaran su derrota a manos de aquel charlatán, Cano, que quién sabe de dónde diablos venía.

—Hay que buscar otros métodos, Rogelio. Ya te lo he dicho otras veces; yo soy viejo y sé lo que es la vida. Mañas quiere la guerra para poder vencer. No te preocupes, que vamos a ganar la partida sin necesidad de usar mis conocimientos secretos. A los Cano nadie los podrá salvar. Yo sé lo que te digo. Ya te enseñé la circular del Gobierno. Por ahí los vamos a quebrar. Ya verás; no hay que precipitarse.

¿Y por qué no los han capturado ya?

El viejo indígena, de rostro arrugado, se inclinó casi al oído de Rogelio con una sonrisa mefistofélica y le murmuró:

—Deja que venga el Tata-Cura. Deja que llegue él y verás lo que pasa.

Con todo, Rogelio Lázaro siguió rumiando su rencor y despecho. Desde niño estaba acostumbrado a tenerlo todo y ver a los hombres inclinados en su presencia, anhelantes de servirle por ser hijo del cacique Lázaro. Su amor propio no toleraba que en el pueblo se dijera que Cipriano le había proporcionado el esquinazo de la muchacha. Debía vengarse y salvar su nombre de tal afrenta. ¿No iba ser él quien, más tarde, sustituyera a su padre en la Alcaldía Constitucional? ¿No lo decían todos en el pueblo y también el Tata-Cura, que era jefe espiritual?

Cuando dejó al Escribano en el Cabildo, Rogelio fue a la plaza, donde un grupo de hombres jugaba a la taba, apostando coscorrones. Era el atardecer y algunas candelillas comenzaban a encender sus ocotes entre los montes. Pasaban pericos y guaras en parejas hacia los lugares de su residencia, entre los boscajes. El rumor del Ulúa llegaba sobre el murmullo de voces y gritos en el vecindario.

Aquellos que jugaban a la taba eran los alguaciles y otros vecinos, entre los cuales estaban Marcos López y su inseparable Eusebio Berdugo, socio de truhanerías, porque ambos ya no tenían oficio ni beneficio y se la pasaban de la trampa y del robo. Rogelio llamó aparte a Marcos y lo envió en busca de algo. Este se marchó corriendo hacia el río, allá por el aguadero, donde estaba la casa de Martha Sánchez. Un rato después regresó con una sonrisa ancha y maliciosa.

—Los dos hermanos están en el paso del río.

Rogelio llamó a los alguaciles y demás hombres que habían terminado de jugar a la taba. Le rodearon solícitos.

—Quiero que me acompañen a darles una buena paliza a los Cano. Ellos no quieren a la gente del pueblo y se creen sábelo todo; un día de éstos nos van a traer la cólera divina. Como hombres no son tales; a mí se me rajó Cipriano en el paso del río.

—Jummm, pero esos no son solos. . .

—No hay tal. Son como todos los hombres. Después yo los invitaré a tomarnos unos tragos de guaro en mi casa. ¿Sí?

Unos aceptaron gustosos, pensando solamente en la bebida que les ofrecía el hijo del Alcalde; otros aceptaron, pero por compromiso, pues a Rogelio Lázaro no se le podía decir no; era inocultable su temor a enfrentarse con los hermanos de "El Colegio".

—Vayan todos a buscar unos garrotes de madera fuerte. Les vamos a poner una tapada ahora cuando regresen a "El Colegio", están donde la Martha y no tardarán en marcharse.

—Si usté lo manda, así será. . .

—Jummm, esos Cano, no son solos. . .

Se disgregaron todos, retornando después ya cuando la oscuridad era más intensa y no había ni un solo resplandor. Uno de los hombres no regresó, precisamente el que decía que los Cano no eran solos porque tenían relaciones con el demonio. Eran ocho, sin contar a Rogelio, y bien podían hacerles frente a los dos hombres, aunque fueran acompañados.

—Vamos y hay que darles garrote sin lástima —ordenó Rogelio.

—¿Y si los matamos? —objetó Berdugo.

—Los malos bichos no mueren —contestó Rogelio.

—Salieron del poblado hacia el monte, por el Oriente, y, dando un rodeo, fueron a ocultarse a la vera del camino que tendrían que cruzar los Cano para ir a su residencia. En el patio de Pedro Cano jugaban sus hijos, mientras los padres andaban en la vecindad. Bajo unos ciruelos, esperaron. Un par de cerdos husmeaban por los alrededores y Berdugo pensó al instante si no serían esos los dos hermanos brujos que se transformaban en animales para evitar el peligro. Sin embargo, nada dijo de sus temores.

Poco tuvieron que esperar los nueve hombres. La fortuna les favorecía porque Cipriano y Doroteo regresaban solos, conversando en voz alta, como era su costumbre. Las sombras apenas dejaban ver los árboles y eso fue aprovechado por los hombres apostados. Saltaron al camino cuando Rogelio cometió el error de gritarles:

— ¡Ahora, muchachos! ¡Duro con ellos!

Los Cano, siempre alertas, no se inmutaron y al escuchar el grito, de un par de saltos avanzaron hasta fuera de la sombra de los árboles, donde la penumbra les permitía observar mejor a sus agresores. Ninguno de ellos llevaba arma; cuando iban al pueblo dejaban sus machetes para evitar cualquier irascibilidad. Se enfrentaron a los pandilleros con las manos.

Es en serio, mano Teo —dijo Cipriano, al recibir un golpe en un brazo.

Obraron con presteza iniciando la defensa con éxito al arrebatar a sus agresores un par de garrotes. Una vez armados de las mismas armas, el asunto cambió de cariz. Los Cano pudieron gritar, pedir auxilio y que viniesen vecinos en su ayuda, pero desde el momento en que se encontraron armados de garrotes, los dos hermanos se enfrentaron a la situación con todo coraje. Hacía mucho que no peleaban y ahora, aunque fuera a estacazos, recordaban los días de lucha en los combates bravos.

— ¡Ahora —exclamó Doroteo, a la ofensiva— aprieten los "guevos" porque los vamos a dejar maduros!

En la sombra se hizo la pelea a estacazos, siendo de lo más divertido para los hermanos porque los agresores, al verles armados, ya no presentaron batalla y comenzaron a correrse ora a uno, ora a otro lado, por los yerbales, siendo perseguidos por los Cano que, a veces, lograban alcanzarlos de un garrotazo. Fue una pelea corta porque los alguaciles se escaparon después de que uno de ellos recibió el golpe más fuerte de la noche y quedó tirado por un momento. Al levantarse, salió corriendo y dando gritos:

—¡Están "empautados" los brujos! ¡Me han matado de un tiro!

El hombre había creído que el golpe recibido en la cabeza por el garrote de Cipriano, era un disparo de arma de fuego; tal fue el mameyazo. Mientras tanto, Rogelio, que no había salido de las yerbas, observando la mala parte que pasaban sus adláteres, aún estando encolerizado, no perdió el sentido de la realidad y, disimulando, agachándose para no ser visto, se alejó del lugar.

Marcos y Eusebio, que sabían del coraje de los Cano, fueron los primeros en esquivarse, antes que Rogelio, pues temieron que, si les descubrían los brujos, los perseguirían hasta el fin del mundo para reventarles los lomos a estacazos. Mucho era el deseo de Marcos de ver a sus ex-amigos magullados, pero prefería salvar el pellejo propio antes que esperar el resultado de la hazaña.

—¡Maricones!—gritó Cipriano cuando los agresores desaparecieron en las sombras—. ¡Párense un tantito y verán lo que les pasa!

—¡Lombrices! —insultó Doroteo—. ¡La próxima vez no les dejaremos escapar! ¡Cuenten a sus amos lo que les ha pasado!

—¡Y, otra vez, que vengan ellos!

Pedro Cano y su mujer llegaban en ese instante y fueron a investigar sobre lo que sucedía a sus primos. Estos les relataron el ataque de que fueron víctimas en la oscuridad por gente desconocida.

— ¡Eran muchos, pero maricones!

— ¡No son hombres para nosotros!

María les aconsejó que fueran a dar parte a la Alcaldía para que investigaran y aplicaran las leyes, pero Cipriano le contestó:

—No, prima María; unos de ellos eran alguaciles. Deben ser cosas de Anteportam.

O del propio Alcalde o de su hijo —agregó Doroteo.

—Muy malo —comentó Pedro—; esas gentes no van a quedar tranquilas hasta que no muerdan; son como los chuchos rabiosos.

Todos comprendían de dónde venían los ataques, fueran éstos de palabra o de acciones traicioneras. Más tarde llegaron a "El Colegio" los amigos de los Cano que no se habían enterado del acontecimiento. Todos se disgustaron y deseaban haber estado presentes para no haberles dejado huir y propinarles su merecido.

—Los compas Cano —dijo Tobías— no deben andar confiados; los enemigos pueden hacerles cualquier mal a traición. ¡Hay que estar preparados!

Al día siguiente por todo el pueblo se sabía que los Cano se habían enfrentado a una emboscada de muchos hombres y que, con el poder del demonio, habían salido ilesos. Lo que no preguntaban era por quiénes había sido hecha la emboscada traidora. O, a lo mejor, ya lo sabían muy bien.

Los hechiceros de "El colegio"

Libro tercero

LIMOSNAS PARA ROGACIONES

Habían sembrado sus milpas en toda la zona de llama porque cayó un aguacero que se consideró la vanguardia de las lluvias; pero los días subsiguientes volvieron a ser de cielo límpido y calor intenso. Para los principales del pueblo, como Don Gervasio Lázaro, Antonio Tróchez, Juan Anteportam y otros, las lluvias no eran tan importantes como para los demás de la comunidad. Las vegas del Ulúa eran de ellos y ahí mandaban a sembrar frijolares y maizales. Para algunos de sus allegados cedían algún pequeño sitio; pero el resto de la población tenía que sembrar lejos del río, en las zonas menos productivas, donde se necesitaba el agua de las lluvias. Por eso, las gentes del pueblo cada amanecer escrutaban los cielos en busca de los signos de las lluvias indispensables para salvar los granos tirados en aquella tierra reseca. San Isidro Labrador, el protector de las siembras, parecía no recordar sus deberes en esa temporada de las milpas.

—Este año nos va a llevar Judas; perderemos las milpas si no les llueve a tiempo.

—Yo he ofrecido a San Cristóbal una docena de velas y un Cristo de cera para que nos mande la lluvia.

—Si Dios no se apiada de nosotros mandando agüita, habrá hambre este año. Sería una gran desgracia.

Y los días pasan sin llover. Un sol rojizo castiga la tierra sin piedad. Los montes amarillo-pajizos despiden un vaho cálido, de fogón. El Cececapa y el Santa Lucía, han bajado sus aguas y parecen quebradas. El Ulúa permite que las gentes pasen a nado. Los animales silvestres sufren la sequía y vienen a las vegas del río, donde los hombres los cazan con facilidad. Los potreros están mustios. Las milpas han brotado para marchitarse; débiles sus tallos, van amarillando por el implacable latigazo del verano. Los hombres se desesperan al ver los

cielos que parecen de acero reluciente. Nada valen los pedi-
mentos y las promesas a los santos.

Correos urgentes fueron a Santa Bárbara a llamar al Tata
Cura antes de su anunciado viaje para celebrar la Semana Santa. Esperan que su presencia y sus oraciones, en unión de las
del pueblo, conmuevan la demostrada enemistad de Dios. Necesitan agua de lluvia, y pronto, antes de que las milpas se
terminen de secar; sólo un milagro puede salvarlas.

Gervasio Lázaro anda para arriba y para abajo del poblado, sacando contribución voluntaria para mandar a decir la
misa de Rogaciones. Es algo que interesa a todo el mundo;
nadie puede quedarse sin dar su óbolo, sea en efectivo o en
especie, porque el bien que se persigue es para el Común de
Ilamatepeque. Acompañan al señor Alcalde, el Tesorero, el
Síndico, el Escribano, su hijo Rogelio, el Sacristán García y
los alguaciles y auxiliares de barrio, más los presidentes de las
Congregaciones religiosas. Es una comitiva bastante numerosa
e importante.

La gente del pueblo es pobre, miserable, pero sabe encontrar reales para dar su contribución y mandar a decir la
misa o bien se deshace de sus gallinas, de sus chompipes, del
único maíz en mazorca que le ha quedado, de un par de sombreros de ilama o de petates tejidos de palma. Aquellos que
nada tienen que aportar, sea en especie o dinero, dan su contribución al crédito. El escribano los apunta en su libro y los
señores se ofrecen, según su grado de amistad, a pagar de su
peculio el valor correspondiente, siempre que el interesado
prometa pagarlo en trabajo o devolverlo duplicado. El Alcalde y los señores son cristianos y hacen caridad: aman a todos
sus hermanos en Cristo; por eso se sacrifican sacando de sus
bosillos dinero para prestarlo a los que no lo tienen y que desean contribuir para la Misa de Rogaciones. Las lluvias van a
salvar las milpas y las milpas salvarán del hambre al pueblo. Y
como las lluvias las manda Dios, entonces hay que pagar una
Misa para que el sacerdote pueda convencer a los santos y éstos aboguen ante la Divina Providencia, a fin de que les mande las lluvias sobre Ilamatepeque. ¿Qué vale un real o más para tanto beneficio?

Todo es claro para las gentes del pueblo y si no cuentan con ese real, ni un chompipe, ni gallinas, ni otro haber personal, el Alcalde, don Gervasio, se los prestará nominalmente. Después irán a trabajarle los días que él disponga y lo harán con voluntad y gratitud porque les ha salvado de un compromiso de honor respecto al Ser Supremo.

Sudando, el Alcalde encabeza la comitiva. El sacristán García lleva una campanilla que hace sonar anunciando el paso de la comisión recaudadora de fondos para la Misa de Rogaciones. Hasta los niños deben cooperar porque ellos también comen maíz y necesitan la lluvia.

El chirriar de las chicharras veraniegas es como un flagelo al oído en esa hora del mediodía. Pedro Cano da su contribución; también su mujer, pero, para la limosna de los hijos grandes, ya no le ajusta. Pedro es un hombre demasiado pobre y tiene que pedir el préstamo al Alcalde; éste sabe que Pedro es honrado, cumplidor, que pagará lo que sea, y acepta prestarle dos reales por sus hijos "garrudos". El escribano apunta la deuda.

Más allá sólo están las casas de "El Colegio", las casas excomulgadas, como las llaman en la Alcaldía; allí viven los hermanos repudiados por los jerarcas de llama.

—¿Llegamos o no llegamos? —pregunta el Alcalde.

—Pues yo digo —contesta el escribano López— que para asuntos de este menester, ellos deben contribuir. Es para beneficio del Común y tienen obligación de ley.

Llegan a "El Colegio". Solamente encuentran a Cipriano que, en ese momento, está fabricando una jarcia. Queda sorprendido, extraordinariamente sorprendido. ¿Vendrán a capturarlos? Rápidamente se pone de pie y, con la mirada, busca su cuchillo envainado que cuelga de la pared como un gallo despierto.

—Buenos días les dé Dios —saludan los visitantes—. ¡Ave María Purísima!

—Buenos días —contesta Cipriano, ya tranquilo, porque ha visto que García lleva la campanilla que es propia de las recolectas—. ¿En qué se puede servir a los señores?

El Alcalde explica su misión con palabra dulzona, con una sonrisa, para hacerse pasar como un buen amigo. El verano. Las lluvias. Las milpas que se pierden y la necesidad de una Misa de Rogaciones, pues ya han mandado a buscar al sacerdote a la ciudad. El rostro de Cipriano está sereno, impávido, indiferente; las palabras melosas del Alcalde no le han conmovido ni convencido.

—Nosotros no damos ninguna limosna, don Gervasio.

Todos le ven con una sorpresa rayana en incredulidad. Ahora es el escribano el que toma la palabra. Sabe hablar y escribir mejor que el Alcalde. Puede convencer. A mitad del discurso le interrumpe Cipriano con respeto, pero tajante.

—No se moleste, señor escribano, ni usted señor Alcalde. Ustedes mismos me dicen que solicitan una limosna voluntaria. Pues yo contesto: contribución para el Cura ni un centavo partido por la mitad; para cualquier otra cosa de interés público, que sea en provecho de todos los ciudadanos, entonces cuente con mi contribución, ya sea en reales contantes o en trabajo. ¿Me explico o no me entienden?

—Ya me habían dicho —expresa el Alcalde con disgusto— que ustedes eran un par de herejes, enemigos de la Santa Iglesia. Quise no creerlo, pero ahora no me queda ninguna duda. ¡Ay, Cipriano Cano, Cipriano Cano, te hemos cogido en tu propia "manteca"! ¡Sos un réprobo! ¡Uno de esos bandidos de las hordas de Morazán! ¡Jajajayyy, culebrita! ¿Te has dado cuenta de que "Chico Ganzúa" fue fusilado en Costa Rica, que ya no hay Federación, que Honduras es un Estado Libre y que hoy mandamos los decentes, los hombres de saber y conciencia? ¿Te das cuenta que ha pasado la hora del desorden, del caos, del poder de la chusma?

Don Gervasio se ha exaltado. Todo el rencor y la enemistad que escondía momentos antes bajo una sonrisa de pedigüeño, ha salido en palabras y en deseos de castigar. Pero Cipriano, que no se intimida, contesta:

—Oiga, señor don Gervasio: Hágame el favor de no venirme con alharacas de jesuita. Yo sé mejor que usted lo que ha pasado y lo que pasa y lo que pasará aquí y en otros Estados que usted apenas conoce de nombre. No me tome por badulaque, como lo pueden ser los majaderos de sus alguaciles. Yo soy un ciudadano libre, sea quien sea el gobierno. Así que lo mejor que pueden hacer todos ustedes, es regresar por donde vinieron.

—Sos un malcriado —dice Rogelio, envalentonado—. Lo mejor que podías hacer es amarrarte la lengua y amarrar tu maleta y largarte en busca de los unionistas ladrones. Aquí, en Ilamatepeque, están demás los Cano y aunque sepan leer y escribir y se las piquen de brujos y sabedores de cosas, quienes mandan somos nosotros.

—¡Los que se van a largar en este momento de aquí son ustedes! —gritó Cipriano, mirándole con odio y con los puños amenazantes.

El escribano vio venir la tormenta y, aunque sólo estaba uno de los réprobos, mejor era poner distancia entre ellos y él. Habló al Alcalde y a su hijo y les suplicó abandonar el lugar.

—No es por miedo, amigos. Evitar no es cobardía. Además, no olvidemos que esta casa está excomulgada; esos hombres están excomulgados; malditos. Donde mora Satanás no pueden estar cristianos como nosotros. Aquí sólo el fuego purificador es lo que conviene.

Los hombres atendieron. Se retiraron con paso rápido, mentándole la madre a Cipriano que, de pie, los vio alejarse hacia el pueblo bajo el sol canicular de marzo.

Don Gervasio regresó a la Alcaldía botando sapos y culebras contra los hermanos Cano.

—Son impíos, merecen la hoguera. ¿No dar una limosna para la Misa de Rogaciones, para la lluvia y el maíz común?

¡Esto se acabó! ¡No se puede tolerar más a esos demonios en Ilamatepeque!

Las mujeres sencillas, que oyeron las palabras del Alcalde, se persignaron. Los Cano eran demonios, lo decía el señor Alcalde y merecían la hoguera. Fue un alboroto, un escándalo en el pueblo. El Alcalde azusó a los hombres contra "El Colegio" por ser morada de impíos.

Por la tarde se realizó el encuentro del sacerdote que iba de la cabecera departamental, anticipándose a la Semana Santa, para las Rogaciones solicitadas por el Alcalde. Llegó jinete en una mula mora, seguido de cuatro hombres armados y un grupo de vecinos de Chinda y La Cabaña. Se resguardaba del sol bravío con un paraguas negro. De rostro enjuto y pálido; labios finos, delgados y con rajaduras a causa del calor; de la nariz le salían unos vellos rojizos, como también de los oídos. Tenía fama de ser muy bueno y caritativo y de ser muy querido del Obispo. A su encuentro, los vecinos de Ilama se postraban de rodillas, pero, por llevar ambas manos ocupadas, el sacerdote no podía echarles la bendición. Cuando pasaba, se incorporaban de nuevo siguiendo el cortejo, cada vez más numeroso, por el camino real. Su voz suave les saludaba con cariño:

—Dios bendiga, mis hijos; Dios los bendiga a todos.

El sacristán García, que era el encargado del templo y, a la vez, presidente de una Hermandad, iba, por ello, adelante. Comenzó a cantar el Ave María y mujeres y hombres, con entera devoción, le secundaron, mientras la queja doliente de la chirimía y el grave golpear del tun hacían reminiscencia de los ritos Mayas.

Atardecía cuando la comitiva entró en Ilamatepeque por el Barrio Abajo. Fue a la Iglesia mientras las campanas repicaban jubilosamente. En el atrio desmontó el sacerdote, ayudado por el Alcalde; luego, seguido del pueblo, fue a la Casa Cural para descansar del viaje y tomar los alimentos. Llegaban hombres, mujeres y niños a saludarle, a besar el ruedo de su sotana. El les echaba la bendición, les preguntaba por su salud y acariciaba a los niños.

—Bendiga, Tata-Cura.

—Dios te bendiga, hijo. Levántate y prepárate para la confesión, debes tener ya muchos pecadillos a cuestas.

El pueblo estaba de fiesta por la llegada del santo varón. Por la noche, todos los vecinos hábiles se presentaron al templo a rezar el Rosario y el Ave María. Los altares estaban iluminados con velas de sebo. Los mayordomos de las congregaciones, que ya habían reorganizado en la forma colonial desde el arribo al gobierno de Francisco Ferrera, habían limpiado, bajo la dirección de García, la gigantesca iglesia aún sin terminar. La habían adornado con ramos de pino y flores del campo; el piso, aún sin enladrillar, estaba con una alfombra de hojas de pino, cuyo olor fragante se confundía con el copal quemado. Afuera, en el atrio, grandes hogueras de ocote, a cuyo alrededor jugaban los muchachos y los mayores hacían disparar petardos y bombas de manufactura casera, esparcían su claridad en el ambiente.

En esa iglesia había varias imágines, cuadros bellísimos que el Rey de España, Carlos II, llamado "El Hechizado", les envió en el año 1660: "El Purgatorio" y "La Visita de la Santísima Virgen a su Prima Santa Isabel". Esos cuadros se dice que tienen la firma del pintor Bartolomé Esteban de Murillo. Asimismo, el Monarca les envió "una escultura de San Cristóbal, hecha de madera de níspero y orlada de vestimenta con laminillas de oro puro". Estos reales obsequios al pueblo de llamatepeque fueron como recompensa por los envíos anuales de oro, que el Padre Angel, catequizador de los indígenas de ese pueblo, enviaba al Monarca. También, como una reliquia santa, se veneraban los restos del Padre Angel en el Altar Mayor de ese templo, el que dicho prelado comenzó a construir y que, a pesar de los largos años transcurridos, no se había terminado, pero ya se utilizaba católicamente.

Después de los actos religiosos y, allá en la Casa Cural, se reunieron los principales del pueblo con el sacerdote. Fue una reunión a puerta cerrada, mientras afuera vigilaban los alguaciles y los Mayordomos de las congregaciones. ¿De qué trataron en esa reunión?

Los vecinos dormían en esa noche tranquilos, sin temores al demonio y a los entes sobrenaturales. Al amanecer asistirían a la Misa de Rogaciones y a la procesión del Patrono de Ilamatepeque, San Cristóbal. Con esos actos vendrían las lluvias para salvar sus maizales y hacerle frente al hambre y la pena.

DOMINANDO A LA NATURALEZA

Todo llamatepeque se desbordó hacia la iglesia inconclusa, poseído de fervor religioso. De los actos de ese día dependería la suerte del pueblo en todo el año. Si San Cristóbal oía las rogaciones, mandaría lluvia: si se hacía sordo, el hambre castigaría a todos sin piedad.

La misa fue cantada. La iglesia no pudo albergar a toda la gente volcada religiosamente en ella. El atrio se llenó también, así como sus partes laterales.

Pasada la santa misa, comenzó la procesión de San Cristóbal, patrono del pueblo. En andas fue cargado, primero por el Alcalde, el Síndico, el Escribano y Rogelio Lázaro. Después irían turnándose en el acarreo divino otros ciudadanos del pueblo. Bajo un palio rojo, con borlas doradas, el sacerdote iba cantando las letanías con voz sonora, siendo coreado por la multitud contrita.

—Santa Dei Genitriz. . .

—Ora pro novis. . .

Y su eco litúrgico se alargaba como una onda por sobre la gente que iba bajo un sol que ya comenzaba a picar.

Recorrieron el poblado, primero por la Calle Principal, y, luego, por todas direcciones en los dos barrios, por la orilla del Ulúa, pero sin llegar hasta "El Colegio". Después, fueron por los alrededores del poblado, en el campo, donde reververaba el sol entre los yerbales amarillos por el azote inclemente del verano.

—De la sequía. . .

—Liberanos, Dómine. . .

—De las tentaciones. . .

—Liberanos, Dómine. . .

Los pájaros huían al oír aquel canto alto y lánguido que se prolongaba como un sonsonete interminable.

En realidad, no todos los habitantes de Ilamatepeque andaban en las Rogaciones. Los hermanos Cano y sus correligionarios de la Asociación Federal de Hijos de Morazán, faltaban. Ellos, desde temprano de la mañana habían salido para el maizal, donde todos los de "La Congregación" habían puesto sus esfuerzos en común.

El día anterior, Doroteo y Tobías habían ido a ver cómo estaba la milpa y el primero comprendió que si no llovía en esa semana, el sembrado se arruinaría totalmente. Anduvo atisbando con su amigo por los alrededores y recordó, con júbilo, que cerca de la milpa cruzaba una quebrada, afluente del río Cececapa.

—¡Aquí está la salvación, compa Tobías!

—¿Aquí? —Tobías no miraba la salvación.

—Si nosotros logramos hacer una acequia de aquí hasta la milpa, tendremos el riego hecho y la milpa salvada. De esta manera, aunque no lloviera en todo el año tendríamos buena cosecha.

—Pero, llevar la quebrada. . . me parece algo. . . no sé cómo decir.

—¿Imposible? ¡Qué bah, compita! Esto se llama regadillo. Vamos a buscar un sitio cómodo para hacer la acequia.

Una hora más tarde, Doroteo encontraba lo buscado. Les resultaría relativamente fácil construir una zanja aprovechando los declives del terreno. Para ello tendrían que venir todos, conseguir picos, pujaguantes y palas.

—Mañana desde la madrugada le meteremos brazo a la zanja.

—Oiga: si trabajamos todos, quizá la hagamos en un día.

—Así será, compita: en un día, porque, si mañana por la noche no llega el riego a la milpa, habremos perdido todo el trabajo.

—Hombré, compa Teo —le dijo Tobías cuando descansaban bajo un "indio desnudo", sacándose garrapatas de las piernas—, el que sabe, sabe. No hay como salir a conocer mundo. Se aprende en barbaridá. Ni qué pensar que a mí se me hubiera aparecido la idea de sacarle agua a la quebrada para regar la milpa por bajo. ¡Qué cosas! ¡Lo que es tener cabeza y haber andado por otros países!

—Andar, ayuda, compita. Pero andar para ver y aprender algo, porque de otro modo, mejor es quedarse clavado en cualquier cerro. Ve usté este "indio desnudo"? Aquí nació, aquí creció y aquí se va a morir de viejo o porque lo parta un rayo. Así son los hombres que nunca arrancan de su corral. Para un hombre como este árbol, sólo existe lo que le rodea y no sabría comprender que más allá de los montes, hay cuántas cosas diferentes, que hay más hombres-árboles y que se tienen otras maneras de vivir. Por eso, hay que salir para comprender que en Ilamatepeque vivimos como animales y que urge cambiarlo todo para bien de todos.

—Usté sabe mucho, compa, por eso lo quiero. Ahora, dígame una cosa: ¿podrían sacarse acequias del río Ulúa?

—Seguro. Y grandes acequias, que regarían todos esos valles.

—¡Ajá —exclamó Tobías como si descubriera algo—, entonces, quiere decir que los montunos como nosotros dejaríamos de pensar en lluvias como ahora!

—Seguro. Entonces no estaríamos pendientes de si lloverá o no lloverá. Tendríamos agua cuando la necesitáramos. Y, viéndolo bien, compita Tobías, usté es un hombre de esos limpios. ¿Qué le dio por pensar en el Ulúa para regar las tierras?

—No sé, me vino a la mente por lo que vamos hacer con la quebrada.

133

—Pues, sépalo, su idea es macanuda.

Regresaron por la tarde y fueron a buscar a los demás compañeros para proponerles el trabajo en la quebrada y salir a construir la acequia al día siguiente.

Por eso, cuando la misa de Rogaciones y la procesión fueron realizadas, los hermanos Cano, los Montoya, Pedro Cano y su hijo, Pedrito Torres, no estaban en el pueblo. Trabajaban con pujaguantes abriendo la zanja bajo aquel sol abrazador para llevar agua al maizal marchito.

Fue una labor ardua, más difícil de lo que Doroteo se imaginaba porque los pujaguantes eran ineficaces y apenas mordían la tierra seca y endurecida. No obstante, se ingeniaron tales mañas que ellos mismos se sorprendieron. Por ejemplo, en una parte que era rocosa, Cipriano solucionó el paso colocando cortezas de palmera en forma de canal y sostenidas por piedras y maderos. Fue un éxito celebrado con gritos.

Trabajaron con tanto afán que, a pesar de tener la zanja más de media legua y en tierra difícil, cuando el sol parecía estar puesto sobre la montaña distante, abrían la compuerta de la acequia y una corriente burbujeante se desprendía como un milagro de la quebrada, tomando, obedientemente, por el cauce abierto a fuerza de voluntad.

No pudieron contener el grito de alegría al ver que el agua avanzaba empapando la tierra sedienta, para hacerla cumplir el destino que le señalaran la voluntad y el trabajo de los hombres. Ese milagro era obra de ellos, de sus músculos, de su inteligencia, de su férrea decisión.

— ¡Viva la aceeeequiaaaaa!

— ¡Viiiivaaaaaa!

Pedro Cano estaba maravillado por el éxito. Todos iban gritando, con las palas y pujaguantes en alto tras la corriente, a la que azuzaban en forma cariñosa para que fuese más rápido por entre los breñales, hacia el maizal condenado a muerte. Al fin llegó al bajío donde la milpa, entristecida, agonizaba por la falta del líquido elemento.

—¡Agüita linda! —le decía Cristóbal, como si fuese una mujer amada— ¡Muchachita en flor! ¡Baja, seguí, metete en la tierra, allí en las raíces de las matas! ¡Agüita linda, muchachita en flor!

Al caer la corriente a la milpa comenzaron a desparramarla, a buscarle caminos para que no se enlagunara. No habían pensado en tal faena, y, como jugando, después de un día de trabajo bravo, lo prolongaron más allá de la claridad del día. Aprovechando la luna en menguante, prosiguieron haciéndole cauces por dentro del maizal para que su beso líquido fuese a dar vida a las plantitas mustias.

—¡Uff, compas! Parece que nos agarró la noche —señaló Cipriano—; debe estar muy preocupada María por Pedro y por Pedrito.

—No lo creo. Hoy están alegres allá en las Rogaciones. A lo mejor todavía andan con San Cristóbal cantando las Letanías. María y los cipotes deben andar en ellas.

—Oiganme, compas —llamó la atención Lucas Montoya—. Fíjense bien en lo que voy a decir y que estoy pensando ahorita: si las Rogaciones no surten efecto, las gentes habrán perdido las milpas y su día de trabajo.

—Y también sus realitos —señaló Cipriano, desdeñoso.

—Es que las cosas deben hacerse de otro modo: a Dios rogando y con el mazo dando.

La luna ponía sobre los montes una palidez de ónix y pájaros noctívagos gritaban en los claroscuros de los follajes. Un viento tibio venía de muy lejos.

—Cuando esta milpa esté ya de tapisca, vamos a tener que desvelarnos porque hay muchos mapachines.

—Les vamos a poner trampas.

—¿Y las pionas? —preguntó Serafín.

—Un espantapájaros que se parezca a don Gervasio Lázaro.

Rieron todos de la ocurrencia de Pedrito Cano; se notaba que no le tenían respeto ni simpatía al señor Alcalde.

Creyendo que ya el agua tomaría los caminos que deseaban por entre la milpa, los hombres regresaron al pueblo. Estaban cansados, pero aún así les embargaba la alegría del éxito de su trabajo, rudo e ingenioso. Tobías cantaba una tonada popular a grito tendido:

> *Para tejer un buen sombrero*
> *hay que buscar un buen junco.*
> *Caballo que es de potrero*
> *en el llano es culicunco.*
> *Ansí la hembra que yo quiera*
> *ha de ser de fibra buena,*
> *sin mañas de mula arriera*
> *en el gusto o en la pena.*

Más de la medianoche era cuando llegaron al pueblo. Todo estaba tranquilo. Las fiestas habían pasado y, a esa hora, dormían los habitantes. Unos perros ladraban en el otro extremo, hacia la calle principal.

—Quédense, compas —invitó Cipriano—, vamos a cocinar aunque sea plátanos y café. Nos caerán al pelo. Apenas almorzamos un "tuco" de yuca con chile y sudamos como burros en cuesta. Quédense, manos.

Se quedaron, excepto Pedro, que fue con su hijo, pues vivía muy cerca. Los demás se quedaron en "El Colegio", atendiendo la invitación. Por otra parte, después de aquel triunfo salvador de su milpa necesitaban estar juntos y alegrarse en sus conversaciones.

—¡Eyy, manito Cipriano! —Llamó Doroteo, sorprendido, al entrar en la sala de su casa—. ¡Traiga luz!

—¿Qué pasa, mano?

—Aquí parece que han andado gentes o bestias. Dejamos las puertas cerradas y están de par-en-par.

Cipriano llevó luz de ocote desde la cocina, seguido por los demás compañeros. Era verdad. Por la sala todo estaba en desorden. Las hamacas macheteadas. Dos racimos de guineos que colgaban de las soleras, caídos ahora y partidos como si les hubieran dado puntapiés. Una mesa volcada. Quebrada la pizarra en que aprendían a escribir. Rotos y dispersos los cuadernos y papeles. Los utencilios caseros tirados por doquier, como si hubiera pasado un ciclón devastador.

Una exclamación de sorpresa salió de sus gargantas e, inmediatamente, a todos les surgió el mismo presentimiento:

—¡Ha sido un asalto!

El caos de la vivienda comprobaba esa suposición, pero surgía la pregunta: ¿quiénes y por qué lo han hecho? Cipriano recordó la visita que el día anterior les hiciera el Alcalde con la comitiva recaudadora de plata. Expuso su pensamiento:

—Debe ser la autoridad. Como ayer no les quise dar reales para las mentadas rogaciones, me amenazaron. Debe ser la cólera del Alcalde.

—Pero ese no es motivo. Además, la autoridad no debe hacer semejantes brutalidades.

—¿Y qué otra cosa hacen los brutos, compa?

Corriendo, regresó Pedro Cano a casa de sus primos, seguido de María y varios de sus muchachos menores. La mujer había presenciado el hecho; aún estaba temblorosa del susto y demostraba miedo.

—Vino el Síndico, Ñor Antonio Tróchez, con los alguaciles hoy por la tarde. Desde que lo vi venir con la escolta se me saltó el corazón. A algo malo venía porque traían armas de fuego; fusiles.

Hablaba sofocada y atisbando hacia afuera, con el temor de ver llegar a los alguaciles. Siguió el relato: los hombres habían abierto la casa, registrándolo todo y destruyendo con mucho ruido lo que no era suyo. Al alejarse, habían pasado por la choza de ella, que estaba sola, pues los muchachos andaban por el río.

—"¿Dónde andan los pícaros brujos? —le había preguntado Tróchez.

—"No sé, Ñor Toño —contestó María y viendo que no le creía—: quizá anden en Gualala o en Chinda. Ayer les oí decir que pensaban ir por allá, no sé en qué diligencias donde los muchachos Torres".

—"¿Y tu marido Pedro?"

—"Está trabajando en la milpita".

—"¿Hoy que es día de Rogaciones se fue a trabajar?"

—"Sí, señor; anda abriendo una acequia para regar la milpa, según dijo anoche".

—"¿Acequia? ¡Jummm! Tu marido anda mucho con los brujos Cano".

—"Son sus primos, señorcito".

—"Ya voy averiguar qué es lo que hay de esa tal acequia. No debe ser cosa buena. El otro día se quisieron llevar la iglesia amparados por los demonios de Pencaligüe y del Cerro Malín. Algo se traman con esa tal acequia para perjudicar al vecindario".

—"Yo no sé nada, Ñor Toño".

—"Pero ya verás —prosiguió el Síndico sin atender a María—: les vamos a poner la mano para que paguen las hechicerías que hacen en ese tal "Colegio". Y ustedes, si no tienen cuidado, van a pagar por esos vagos y brujos que anduvieron con "Chico Ganzúa". Tené mucho cuidado, no te caiga a vos también el debido castigo".

Se habían marchado y María quedó sola, rezando, en espera de que, de un momento a otro, volvieran los trabajadores de la milpa y cayeran presos. Eso era lo sucedido y María les suplicó, casi llorando:

—¡Por favorcito, escóndanse en el monte! ¡Los pueden venir a buscar esta noche y meterlos en la cárcel! ¡Ya deben haber visto las luces!

—Despreocúpate, María —pidió Doroteo—. Antonio Tróchez no es de los que sale de noche a capturar a nadie y menos a nosotros.

Pedro, María y sus hijos se marcharon preocupados, mientras los demás se quedaron haciendo comentarios sobre el suceso. Cipriano preparaba su cuchillo de monte mientras se cocinaban los plátanos y un trozo de carne de tepezcuinte.

—Me parece que debemos tomar precauciones —dijo Cristóbal—. Es posible que intenten apresarnos, pero debemos ser hombres en todo momento. Hemos jurado ser leales y ninguno delatará a nadie ni dirá una palabra de la Asociación Federal. Acuérdense que somos los Hijos de Morazán y no flaquearemos ni frente a la muerte.

—¡De eso, ni hablar! ¡Hemos jurado por la memoria del General y cumpliremos!

—Lo raro que veo —dijo Cipriano, al amolar su cuchillo— es que se hayan atrevido a venir hasta ahora cuando está el Cura en el pueblo.

—De verdá; en esto hay gato encerrado.

Después de cenar, casi al amanecer, se acostaron todos en la casa porque los jóvenes, temiendo que volvieran los alguaciles, prefirieron hacerles compañía para ayudarles si llegaba el momento. Los hermanos Cano, acostados en el suelo, sobre petates, pensaban en su destino.

Ninguna persona se aproximó a "El Colegio" durante el resto de la noche.

SE ESCAPAN COMO DEMONIOS

Doroteo y Cipriano han visto clara su situación. Saben que el Alcalde se ha lanzado a lo que antes no se atrevió, lo cual quiere decir que ha encontrado nuevas fuerzas de apoyo y estímulo. Suponen que esas fuerzas que le faltaban han llegado a don Gervasio con su aliado espiritual, el sacerdote que vino a rezar las Rogaciones y a celebrar la Semana Santa. Ellos, que durante diez años formaron parte de los ejércitos libertadores de la Federación Morazánica, conocen bien al enemigo, sus trincheras, sus tácticas, sus acciones. ¿Acaso no recuerdan al ex-pastor de cerdos, Rafael Carrera, presentándose en los pueblos indígenas de Guatemala como el "enviado divino" para vengar en la Federación las muertes ocurridas por el cólera morbo, que, según se afirmaba en las iglesias, lo habían causado el envenenamiento de los ríos por agentes de Morazán? Ellos no pueden equivocarse al buscar la procedencia de la agresión.

Ambos han dispuesto luchar si para ello hay oportunidad. Conocen al pueblo de Ilamatepeque porque ahí tienen el ombligo enterrado y vivieron su primera juventud. Saben su psicología y comprenden que las gentes se impresionan por las apariencias, por los gestos bravos, por lo sobrenatural.

Es por eso que, al día siguiente del asalto a su casa, con sus machetes al cinto, ambos bajan a las calles del pueblo vistiendo sus chaquetas guerreras desde temprano de la mañana. Saben que ha de volver el Síndico con los alguaciles y prefieren ir a su encuentro. Las gentes que sabían lo ocurrido el día anterior en "El Colegio", se sorprenden por el valor que demuestran y no pocas mujeres hacen la señal de la cruz. Es un reto a las autoridades. En la calle Principal se juntan con los muchachos Montoya y otros del pueblo. Comienzan a platicar bajo la sombra de un naranjo. Cipriano, como siempre, cuenta chistes y anécdotas con muy buen humor y esta vez habla jactancioso de lances personales en que ambos hermanos se vieron en El Salvador, Nicaragua y Costa Rica, por todos los rumbos donde ellos cruzaron con las huestes de Morazán.

Los interlocutores van aumentando. Hombres y muchachos, porque para éstos todos los cuentos que andaban de boca en boca entre las gentes del pueblo, son acicates a su curiosidad. Para los cipotes, los Cano son personajes de leyenda, fabulosos y, como Cipriano es alegre y retozón, su compañía les resulta grata. Siempre tiene un chascarrillo ameno y una broma para los muchachos de aguda fantasía.

—Esa vez —dice Cipriano, atendiendo a una alusión de Doroteo— miramos la muerte cara a cara. Si no saco todo el coraje de los Cano, otro sería el que les contara el cuento. Fue en la batalla de San Pedro Perulapán, en El Salvador. Ustedes no saben lo que es una batalla. Allí sólo entran los hombres de pelo en pecho. Los cobardes se mean y obran en los calzones.

—Como el Tuerto Simón —grita un cipote con burla—; siempre se mea y se caga en los calzones cuando se "embola".

Todos rieron de las palabras del chico por su veracidad. Esa fatalidad le sucedía al viejo curandero; insensible, su aparato digestivo lo traicionaba cuando se emborrachaba, dejándole chorreado y hediondo.

—Pues las balas zumbaban: ¡siiiinnnn! por todos lados; retumbaban los disparos como cuando se revientan carreras de bombas en el atrio: ¡pengén, pengén, pengén! Los soldados de infantería, gritábamos: ¡"Dios, Unión, Libertad!" y enronquecíamos mentándoles la madre a los enemigos. Sobre todo eso, se oía el tararí-tararí-tararí, de las cornetas de órdenes. La música de la Banda casi no se escuchaba por el estruendo. Una humazón bruta se levantaba y el olor a pólvora se metía en la sangre, como también la sangre humana reventaba cuando les entraban las balas a los cristianos y quedaban con un grito mochado en la boca o llorando en la agonía.

—¡A la gran chucha, debe querer "güevos" entrar en una batalla!

—"Güevos", pero pesados —afirma Cipriano, acompañando a sus palabras con gestos superlativos—. Hasta los más valientes temblábamos al comenzar la pelea. El único que no temblaba, que nunca tembló, era mi General Morazán.

Ante aquel nombre, unos sujetos se persignaron musitando el nombre de Cristo. Doroteo, al notar aquello, interviene:

—Mi General Francisco Morazán era un militar de honor y el hombre de más cabeza y honradez de todo Centroamérica. Es mentira que haya sido bandido ni ladrón. Nosotros lo conocimos y fuimos sus soldados. Así que yo pido a los amigos que cuando se miente a mi General, no hagan la señal de la cruz, porque, entonces, las cosas se van a poner malas. El está muerto, pero aquí estamos nosotros, que somos sus sargentos. ¿Entendido?

Callaron, viéndose de unos a otros oblícuamente. Era una amenaza de Doroteo Cano. Cipriano continúo su narración:

—Pues sucedió que me mandaron con mi mano llevando a cinco soldados rasos a tomar una posición que nos estaba matando muchos soldados. Mi General Cabañas en persona nos escogió para ir a silenciar una pieza de artillería. Avanzamos por entre el monte, casi pegados a la tierra y los hubiéramos sorprendido por la retaguardia como nos ordenaron, pero uno de los nuestros se descubrió, quizá del miedo.

—¿Y, entonces?

—Nos pepenaron a tiro limpio y a boca de jarro. Yo recibí un balazo en la pierna. . .

—¿De veras?

—Yo no miento, compa —y levantándose el pantalón de manta, mostró la pierna derecha, en cuyo muslo moreno había una cicatriz grande—. Aquí me entró y acá me salió el plomazo. Fue de carabina.

Todos querían ver la cicatriz y a todos satisfizo su curiosidad.

— ¡Qué mameyazo, Dios me guarde!

— ¡Era pa morirse; casi le trozó la pierna!

—Compa —preguntó un chico— ¿y no se murió del tiro?

—Vos si que sos papo —le dijo otro cipote, burlesco— si se hubiera muerto, no estuviera aquí contando.

— ¡No es con vos, metido! —repitió el primero.

—No se peleen por eso —aconsejó Cipriano—. Oigan callados. Así fue que caí a tierra desangrándome. Mi mano Doroteo y los otros peleaban como leones a bayoneta calada. Yo no podía hacer nada y me arrastré detrás de un montecito. Desgraciadamente los nuestros se retiraron un poco y yo me quedé en el campo enemigo. Un hombre altote, con cara de fiera, me descubrió; me apuntó con el fusil a la cabeza y disparó.

— ¡Pucha! ¡Qué bárbaro!

—Bárbaro y medio. No me mató porque Dios es grande; sólo pude mover un poco la cabeza y el oído derecho se me llenó de la tierra que levantó la bala. Entonces, yo no sé de dónde me salió un coraje bruto. Con la pata quebrada salté y me agarré del hombre que soltó el fusil y sacó el revólver. Se lo agarré con fuerza, de manera que apuntara para arriba o para su propia cabeza. Y ¡pumm! ¡pumm! ¡pumm! Tres disparos entre los dos. Yo ya no aguantaba y perdía la fuerza de mis brazos. Era mi última hora. Tan cortito el tiempo y no les niego que pensé en mi mama, en mi papa, porque ya el cañón me iba apuntando a las meras cejas.

— ¡Qué barbaridá! ¡Ave María Purísima!

— ¡A la pucha, se me paran los pelos!

—Fue una barbaridad y media, compa. Aquel agujero de la pistola era para mí así, enorme y oscuro. Y de pronto: ¡zas!

144

—¿Tiró la muerte?

—Sí, muchacho; has dicho bien: tiró la muerte, pero no para Cipriano. Aquel hombre-fiera se dobló con la cabeza partida.

—¿Y cómo?

—Yo no me di cuenta; hasta después. Los artilleros, al atacarlos nosotros por la retaguardia, pensaron que era todo un batallón; desatendieron el frente y al querer maniobrar, perdieron tiempo; justo, el tiempo que necesitaba mi General Cabañas para caerles con los dragones. En una avalancha de caballos y balas y espadas los barrieron. Y fue el propio General Trino Cabañas que en carrera de su caballo llegó a tiempo para salvarme.

—¡Carajo, quiere ganas meterse a la guerra!

—Es cosa de hombres —dijo Doroteo—; la muerte anda por todas partes. !Si la habremos visto nosotros cara a cara. . .! Por eso yo pienso, si cuatro papitos podrán meternos balas a nosotros dos.

—Para que a nosotros nos toquen el pellejo —acotó Cipriano— es muy difícil. Después de esta herida, quedé curado de espantos. A mí ya no me entran las balas y el que se atreva, le pesará. ¡Ayayay, manitos: Cipriano y Doroteo Cano somos hombres a quienes nadie nos saca una gota de sangre porque se muere fulminado sin saber ni a qué hora ni cómo!

Los amigos de los Cano aprobaron con sonrisas comprensivas y los otros, escuchándoles las balandronadas, creían que en verdad eran hombres superiores, a quienes les protegían poderes ocultos; por algo las gentes decían que tenían relaciones con los demonios de Pencaligüe y del Cerro Malín. Los Cano tenían razón al decir que conocían a su gente. La impresionaban para que fueran a contarlo con exageración. En aquel momento, para aquellos hombres y para los cipotes, Doroteo y Cipriano eran la expresión máxima del coraje y del poder sobrehumano.

Lucas se aproximó a Cipriano, diciéndole en voz baja:

—Lárguense, compas. Viene la escolta a capturarlos. Le haremos la bulla mientras tanto.

Cipriano y Doroteo se miraron comprensivamente, mientras Lucas, retaba a los presentes a echar un pulso o una lucha para ver quién era más fuerte.

— ¡Apartando a los compas Teo y Cipriano, que se venga cualquiera y si quieren con apuestas! ¡Andenle, cobardones! ¡A ver si hay alguno más fuerte que yo!

Había hombres más musculosos y fuertes y el reto amigable de Lucas les hirió el amor propio. Varios se quitaron las camisas para luchar y todos los presentes concentraron su atención en los gladiadores. La lucha, así como "echar pulso", eran entretenimientos populares.

Apenas se habían abrazado los dos luchadores, cuando sorpresivamente cayeron el Síndico Tróchez con los alguaciles que les apuntaban con armas largas.

— ¡Ríndanse, bandidos!

La sorpresa fue general. Los cipotes corrieron chillando. Pero los alguaciles al escrutar con mirada fiera entre el grupo, no encontraron lo que buscaban. ¿Cómo era posible que los Cano desaparecieran en un instante, cuando al salir del Cabildo les habían visto debajo del naranjo entre los hombres?

—Esos Cano son brujos —dijo uno de los alguaciles. Y, señalando el humo que salía de los puros y las cachimbas de los presentes—. ¡Se hicieron humo!

Para los presentes también fue sorpresa; no habían notado la desaparición de los Cano por atender el reto de Lucas Montoya. En ese momento se oyó a la distancia un grito retador.

— ¡Síganos si son hombres! ¡Vengan otra vez a "El Colegio!".

—¡Antonio Tróchez, acá estamos! ¡Ja, ja, ja, ja...!

De largo, camino a su casa, los dos hermanos se reían y su risa estentórea, pletórica de burla y desprecio, tenía un timbre extraordinario.

—¡No son solos —murmuró una voz—: se les fueron de las barbas como brujos!

Antonio Tróchez y sus hombres les siguieron hasta la casa de Pedro Cano. Allá, en la puerta de "El Colegio", Doroteo y Cipriano, con los cuchillos prestos, les hacían señales para que subieran hasta ellos. Tróchez, encolerizado, sacó su pistola y apretó el gatillo. El moho le impidió disparar. Entonces ordenó a los alguaciles avanzar, pero éstos, que vieran la ineficacia de la pistola, no le obedecieron. Tuvo que tomar la iniciativa porque mucha gente les estaba mirando. El grupo avanzó a regañadientes hacia "El Colegio".

El grupo entró en la casa amenazadoramente, pensando encontrar a los hombres detrás de las puertas. Salieron al otro patio y ¡nada! Los Cano habían desaparecido. Un frío extraño le corrió por la nuca al Síndico.

—¡Retirémonos —ordenó—, esos excomulgados son meros demonios!

Casi corriendo, con frecuentes vistazos hacia atrás, los soldados regresaron. Cuando pasaban por la casa de Pedro Cano, escucharon la doble carcajada.

—¡Son demonios! —decían—. ¡Son meros demonios!

Pero si Tróchez y sus soldados, con menos temor, hubieran tenido la curiosidad de subir al tabanco de la cocina, se hubieran enterado que detrás de unos cueros de venado los dos hermanos, con los cuchillos listos, les esperaban ocultos.

LOS BRUJOS SON CULPABLES DE LA SEQUIA

La hazaña de los hermanos Cano, realizada en plena mañana y a la vista de las gentes, repercutió como bombazo. Jamás se había visto un caso igual en Ilamatepeque. Esos hombres, ante la mentalidad popular no eran comunes, como los demás mortales. Esos hombres "no eran solos" y tenían poderes ocultos que les protegían. Esto provocaba una reacción de malquerencia y temor.

En el Cabildo, don Gervasio se paseaba encolerizado. No capturar a los réprobos era agrandarlos ante el criterio del pueblo y ridiculizar a las fuerzas de la Ley. El suceso era intolerable; había que destruirlos ante todo el mundo. Pero ¿cómo hacerlo? En su fuero interno llegaba a creer que los Cano tenían pacto con el demonio. La única salvación estaba en el sacerdote.

Los amigos y simpatizadores de los Cano, aprovecharon los sucesos para tomar su defensa y ensalzarles ante las gentes que comentaban. Valentía tal sólo podía observarse en los soldados de Francisco Morazán, quemados en cien batallas. En la casa de los Montoya se contaban y comentaban los hechos con soltura, con entusiasmo de compañeros. Por su parte, los Cortez y los Durán, efectivamente, estaban atemorizados y confirmaban la opinión del Curandero Simón de que eran brujos realmente emparentados con Satanás.

Eulalia, pasado el susto, se unió a los Montoya en aquel júbilo por la derrota burlesca, sin disparos, de los hombres de la escolta; una derrota que era también de Rogelio Lázaro, como victoria de los Cano, de Cipriano, el hombre que ella amaba y que iba a hacerla suya para siempre. Eulalia relataba los hechos como si los hubiera visto; tal era su pasión.

— ¡Los Cano son verdaderos hombres, nadie les puede ganar!

—No son hombres —le refutó Cándida, su madre, con pánico en la voz— ¡Son brujos, son puros demonios de Pencaligüe! ¡Dios nos ampare!

A este suceso se unió otro inesperado. Al anochecer, falleció Martha Sánchez, buena amiga de los Cano, quien venía sufriendo de hidropesía. Quien sabe por qué razones, Fernando Sánchez, su hijo mayor, desde que ella lanzó el último suspiro frente al sacerdote que le administró los Santos Oleos y frente al Curandero Simón, comenzó a propagar a gritos su dolor y amargura con una acusación:

— ¡La han matado los brujos Cano! ¡Le echaron mal!

Doroteo, que desde su llegada había querido curar la dolencia a su antigua amiga y amiga de sus padres, sin lograrlo, le había suministrado brebajes y aconsejado distintos remedios caseros que él conocía contra aquel mal. Todo fue inútil y ahora muerta, el hijo Fernando lo responsabilizaba públicamente.

— ¡Ellos, los brujos de "El Colegio", han matado a mi nana! ¡Le echaron mal! ¡La mataron como a Juan González, el herrero, y quien sabe a cuántos más!

Ya a la medianoche, en el velorio tan concurrido, Fernando y Pablo Sánchez, tomados de tragos de chicha que les brindaba Rogelio Lázaro como demostración de amistad y de duelo, daban mayores explicaciones sobre la muerte de su madre, siendo apoyados por el Tuerto Simón.

— ¡Son hechiceros! ¡Me mataron a mi nana con una toma! ¡Cuando murió botó de la panza un agual bárbaro y después una hicotea vivita! ¡Dios me guarde: una hicotea le habían metido en la panza los brujos a mi nana!

— ¡Ayayay, qué maldá! ¿A la Martha Sánchez le habían metido una hicotea en la barriga? ¡Pobrecita Martha! ¡Y pensar que nunca les hizo ningún mal y los quería como a hijos!

— ¡Así son los demonios: pagan mal por bien!

En el velorio se lloraba tanto como se bebía chicha y se rezaba tratando de salvarle el alma a Martha Sánchez porque los Cano se la habían vendido al Diablo.

—De no haber estado el Tata-Cura en el pueblo —decían unas vecinas—, los Cano hubieran entregado al Diablo a Martha Sánchez en cuerpo y alma.

—Y dicen que le zamparon una hicotea viva en la barriga. ¿Es verdá?

—¡Por estas cruces! —juraba Fernando, mientras daba mayores detalles—. ¡Se acababa de ir el Tata-Cura con Pablo y solos estábamos con el Tuerto Simón para amortajarla, cuando de la boca le salió la hicotea grandota, con un chorro de agua!

—¿Por qué no la mataron?

—El Tuerto Simón dijo que era malo matarla, porque el que la matara, se moría. ¡La hicotea salió por esa puerta y agarró en la sombra, derechito a "El Colegio" de los brujos!

—¡Qué maleficio más bruto! ¡Esos Cano van acabar con todo el pueblo!

El clamor popular subió de tono por la muerte de Martha Sánchez, la mujer a quien Doroteo había querido salvar de su avanzada enfermedad.

Al día siguiente, al regreso del entierro, otra noticia sensacional recorrió por el pueblo. Marcos López, Eusebio y Chángel García, tenían una gran rueda de personas frente a la iglesia, a la hora en que iban muchas gentes al templo a rogar todavía por las lluvias.

—¿A que ustedes no saben el sacrilegio que han cometido los brujos de "El Colegio"?

La gente no sabía y se quedaba ahí para escuchar la nueva fechoría de los Cano. Y los hombres contaban:

151

—¡Ay, compas, estamos malditos desde que llegaron los endemoniados! ¡Tienen todo el poder de Satanás!

—¡Pero cuenten, cuenten! ¿Han matado a otro cristiano esos brujos?

—Peor; es terrible —afirmó López, el expulsado de "El Colegio"—. ¡Con el poder del Diablo, han amarrado los aguaceros; por eso no llueve! ¡Eso sólo lo hacen los tales unionistas, los partidarios de Chico Ganzúa!

—¿No se acuerdan —decía Chángel— que ellos también envenenaron las aguas de los ríos, causando tantas muertes, en cuenta los tatas de los Cano?

—Sí. Ellos mismos fueron los que en el Año del Polvo quisieron acabar con el mundo. ¡De no haber sido el Tatita Obispo, no contáramos el cuento! ¡Los tales unionistas son meros demonios!

—Bueno ¿qué han hecho ahora esos impíos?

—Han amarrado las lluvias. Por más Rogaciones que diga el Tata-Cura, no caerán los aguaceros. Si esos brujos siguen vivos, nos van a matar a todos porque somos católicos. ¿Saben la brujería que hicieron?

—¡Cuente, hombre, cuente!

—Pues han cambiado la Quebrada de su camino hacia el río Cececapa y la han hecho que camine por la milpa que han sembrado con sus discípulos. Imagínese usted que han hecho andar el río para atrás y lo metieron en su milpa. Este es un sacrilegio más contra Dios que les sirve para amarrar las lluvias y hacernos perder las milpitas nuestras.

—¡Herejía! —gritó el sacristán, levantando los brazos al cielo con un dramatismo que impresionó a todos los presentes—. ¡Herejía! ¡Por eso mi Diosito está bravo con nosotros y nos va a castigar! ¡Recemos, recemos!

En el atrio de la iglesia las gentes rezaban a gritos y maldecían a los Cano que tenían pacto con los demonios, porque sólo el demonio era capaz de cambiar el curso de un río. Pero ¿no eran esos mismos los que hacían obedecer al propio fuego, que le ponían gusanos a las gentes y echaban animales en el estómago de las personas a quienes querían entregar a Satanás? ¿No estaban aún frescos los crímenes cometidos por ellos? Narciza López, Juan González y Martha Sánchez habían sido sus víctimas reconocidas. ¿Y las no reconocidas? ¿Y las muertes en Gualala, Chinda y otros lugares?

—¿Qué podemos hacer con esos brujos en el pueblo?

—Caramba, si han amarrado las lluvias ¿qué no podrán hacer esos hechiceros? Estemos en guardia; no permitamos que continúen con sus fechorías contra la gente honrada. Deben capturarlos y llevarlos a la picota.

—No—dijo la voz de Rogelio Lázaro, que se aproximaba —eso no es castigo; son brujos y se evadirán de la picota y de la cárcel.

Los amigos de los ex-soldados andaban muy indignados por aquella campaña que se intensificaba del atrio a la alcaldía para regarse por las calles del pueblo. Cristóbal con sus hermanos y Tobías fueron a ver a Pedro, pero éste no estaba. De ahí mandaron un papelito a los Cano con uno de los cipotes. Les decían:

". . .En el pueblo hay tormenta contra ustedes. Quizá esta noche vuelvan a su casa para capturarlos. Vayan a la milpa. Allá nos juntaremos para ver lo que conviene hacer".

Así lo hicieron. En el maizal, donde ya no había necesidad de lluvias, las plantas aparecían alegres, prometedoras, verdes, como si hubiera llovido. El riego había salvado la milpa. Pedro y su hijo la estaban cuidando en ese día y andaban con palas de madera haciendo que el agua llenara su cometido vivificante por todos los rumbos del maizal. En cuanto llegaron sus compañeros, les contó:

—Hombrés, hoy anduvieron visitándonos esos dos leperitos "roba chompipes": el Chebo y el Marcos. No me la hicieron buena. Quién sabe en qué andaban porque se asustaron cuando nos vieron. ¿En qué andarían?

—Saconeando, primo. A lo mejor se las traían contra la acequia porque allá andan hablando un sartal de cosas. Dicen que hemos amarrado las nubes y por eso no llueve.

—¡Ah! —Pedro Cano se inquietó. Conocía a su gente— Esas son cosas del Tata-Cura o de Anteportam López. Jummm, muchachos, tenemos que andar con pies de plomo; esta gente es bruta por los cuatro costados.

—Con pies de pluma, debieras decir. Ahora Antonio Tróchez y el Rogelio se van a aprovechar —y agachándose Doroteo hasta acariciar una planta verdeante del maíz, encomió—: ¡Está linda la milpa, primo Pedro!

—¡Relinda! Vean qué cañas y cómo se han estirado en dos días. Lo que es la naturaleza: ¡en cuanto les cayó el agua, se revivieron de un golpe!

—Nada es más hermoso que la vida, primo, hasta en las plantas.

—Así es —dijo Pedro masticando su tabaco—: la vida, sea como sea, es buena.

—Y hermosa como novia cuando se le halla el sentido —concluyó Doroteo.

Reunidos todos fuera de la milpa, bajo un matasano, conversaron. Lo interesante era que los Cano se resguardaran, que permanecieran ocultos por mientras pasaba Semana Santa. Todos creían que si ahora se les acosaba con tanta saña, era por la influencia del sacerdote. Convenía esconderse mientras estuviera en el pueblo para salir después. Sin él, don Gervasio y don Antonio no se atreverían a capturarlos.

Todos estuvieron de acuerdo en la tesis de Cristóbal Montoya. Estaba claro para ellos que el enemigo peligroso era el sacerdote, conocido en todo el departamento por sus sermones incendiaros contra la Federación y contra el General Morazán, y sabían, asimismo, que su poder entre los pueblos indígenas se basaba en la ignorancia y el fanatismo. Todo lo que contra ellos se tramaba, estaban seguros que provenía del Tata-Cura. Ido él de llamatepeque, la tormenta amainaría y retornaría la normalidad.

De ahora en adelante nos juntaremos aquí. Vamos a construir una troje; es mejor que no nos vean en estos días de Semana Santa. ¿Se acuerda, mano, lo que pasó en San José de Costa Rica cuando cayó mi General? ¿Se acuerda de los prisioneros fusilados en la calle?

—Cierto, mano, y lo mismo sucedió en Guatemala cuando subió "Racacarraca" al poder. Los indios de Santa Rosa, azuzados por los Curas, linchaban morazanistas en cualquier parte.

—Y lo peor —dijo Doroteo— es que todos esos crímenes bárbaros los cometían los ignorantes en nombre de Cristo, de la iglesia, como si nuestro Señor Jesucristo hubiera predicado el crimen.

—Eran bárbaros los Curas azuzando a la plebe.

—Y yo —se lamentó Pedro— que había creído que los Tata-Curas, eran santos. . .

—Hay algunos que son decentes —afirmó Cipriano—pero son raros.

— ¡Chitón! exclamó Serafín, sorprendido—. Pongan oído. Se oyen gritos en el monte.

No eran gritos exactamente. Era una especie de canto, de letanía que iba in crescendo por la placidez de la campiña, tinta de crepúsculos.

—Son Rogaciones —dijo Doroteo.

El canto se percibió claro por el camino del pueblo. Luego aparecieron las primeras gentes llevando los estandartes de las Congregaciones religiosas y a San Cristóbal en sus andas. Seguía una muchedumbre que entraba en la milpa. Los Cano y sus compañeros se escondieron en el monte con presteza, observando sin comprender aquella acción. Iban guiados por el Alcalde, don Gervasio Lázaro, y por el sacristán, Chángel García.

Y vieron entonces, cómo aquella muchedumbre de fanáticos, entraba en la verdeante milpa como una plaga de chapulín, destruyendo el maizal con una saña increíble. Cantando las letanías arrancaban o pisaban las plantitas creyendo así destruir un maleficio que afectaba a la población. Fue un acto fantástico, de fanatismo. Una vez exterminada la milpa, subieron por el cauce de la acequia, destruyéndola hasta ir a clausurar la pequeña represa que ellos construyeron con tantas dificultades. Aquella tarea la realizaron el sacristán y los mayordomos de las congregaciones. También regaban agua bendita.

—¡Vade retro, Satanás! —gritaba Anteportam López—. En nombre de Cristo y de la Virgen Santísima, yo te conjuro en el nombre del Padre, del Hijo y del Espíritu Santo. Amén.

Los humildes trabajadores, escondidos entre las altas malezas, presenciaron aquel acto de fe con lágrimas en los ojos; lágrimas de indignación, de tormento, de tristeza. Los hermanos Cano nunca habían llorado con tanta impotencia como en ese atardecer. Su trabajo honrado en la tierra se perdía bajo los pies desnudos de hombres y mujeres que también eran sencillos, que labraban los campos igual y mordían el freno de la servidumbre conservadora-clerical.

La procesión se alejó como vino, dejando tras sí el desastre. Los pájaros huían al escuchar gritos extraños; la campiña recogía el eco monótono de los cánticos religiosos de la turba fanática.

—¡Santa María. . .!

—¡Ora pro novis. . .!

EL AZORO DEL CAMPOSANTO

En esos días de fervor religioso y fanatismo en Ilamatepeque, hay como el anuncio de una tempestad. Los hermanos
Cano andan de escapada por los montes y caseríos; temen
caer en las manos de don Gervasio Lázaro y de las Cofradías
porque es seguro que les meterán en el cepo quién sabe por
cuántos días, cuando no hacerles objeto de un linchamiento.
Por eso se esconden en espera de que pase la Semana Santa,
regrese el sacerdote a Santa Bárbara y vuelvan los vecinos a
los trabajos esclavos.

Los compañeros de Chinda vienen a enterarse de los sucesos que ya corren en la chismografía de los pueblos con su
cauda de calumnias y estupideces. Los Torres se han citado
con los miembros de la Asociación Federal de los Hijos de
Morazán en un lugar seguro, donde ningún fanático los puede
localizar: el Camposanto de Ilamatepeque. La gente es supers-
ticiosa y no se atreve ni siquiera a pasar sola en las horas noc-
turnas por el cementerio. Creen que los muertos salen, que las
ánimas se levantan de las tumbas y todos temen horrorosa-
mente a los difuntos.

Al camposanto van los liberales en esa noche del viernes de
Dolores y abrazan a sus queridos amigos, maestros y conseje-
ros. En la garita del cementerio hacen rueda sentados en el
suelo. Está en penumbra la noche y la luna ya en menguante
saldrá muy tarde. Las luciérnagas abren los ojos de las cruces
como para que se vean las tumbas. Algunas se arrastran entre
las hojarascas y las yerbas. Más allá del Camposanto está la
campiña adormecida y, por acá, pegado al pueblo, el Ulúa,
con su rumor interminable. En el poblado se ve la iglesia ilu-
minada con fogatas. Es el Viernes de Dolores y rezan el Vía
Crucis, haciendo procesión alrededor del alto templo aún sin
repellar.

—Más allá —dice Camilo Torres— la gente está asustada por la sequía que desde hace muchos años no se sufre. Y andan algunos diciendo que se debe a "las brujerías" de los Cano, quienes han amarrado las nubes con el poder del demonio.

— ¡Miserables! —exclama Doroteo, haciendo signos en el polvo con una varita— ¡Ya pagarán su deslenguamiento!

Bueno —continúa Camilo Torres—¸nosotros que los conocemos y sabemos bien esa mentira, tratamos de hacer entender a la gente que son tonterías. Muchos han comprendido que ese asunto de la malquerencia del Alcalde don Gervasio, es cosa política y no de brujería.

—Así es; quien ha venido a atizar más ha sido el Tata-Cura.

—¿Y qué otra cosa —expresó Cipriano— podríamos esperar de los sotanudos? Ya nosotros los conocemos desde hace rato.

A veces chillaba una lechuza y alguno sentía en el espinazo el antiguo frío del miedo. No era posible que en poco tiempo se borrara de su mentalidad el collar de las ideas absurdas sobre los asuntos sobrenaturales y los fetichismos de la raza.

—Hay noticias buenas de Comayagua —relataba Lupe Torres—. Desde la reelección de Chico Ferrera se preparan los unionistas para la guerra. Según dicen, habrá levantamiento en El Salvador y en Honduras para tirarse contra "Racacarraca", de Guatemala. Encabeza el movimiento el General Trino Cabañas.

—Ojalá venga pronto, compa; si el General Cabañas se levanta, debemos estar listos para apoyarlo. Los correligionarios de Comayagua nos mandarán correo, y nosotros, todos, debemos estar más que listos. ¡Ah, que venga otra vez la guerra, que, aunque haya muerto mi General Morazán, haremos morder el polvo a los montañeses de Carrera!

—Hay mucha gente que irá con nosotros a Chinda —relató Camilo con entusiasmo—: es que nadie quiere pagar diezmos y primicias como antes. Hoy cuesta mucho ganarse los realitos y un calzón vale muchos días de sudor.

— ¡Vida perra —exclamó Tobías—, sólo jaranas y más jaranas; a punta de deudas estamos amarrados, maniatados como chanchos!

—Y, ahora, ya lo dijo el Alcalde: tenemos que volver a trabajar de balde, como antes, a la hacienda "San Cristóbal", de Zapote Alto.

—Para engordar a los municipales y al Cura —señaló Serafín.

—Y este año va haber un hambre bruta. Los únicos que van a cosechar maíz son los "gorgueras", que sembraron en las vegas del río.

—Esto pasará, compas —dijo Doroteo—. No hay que perder la esperanza. Nosotros ganaremos. Ya oyeron las buenas noticias que nos traen los compas de Chinda. Hay que saber aguantar. Si ustedes hubieran visto y oído a Mi General, tendrían fe como la tengo yo, como la tiene Cipriano. Nosotros somos los hijos de Morazán, por eso le pusimos así a la Asociación. No hay que desmayar. Mi General no desmayó ni cuando lo iban a fusilar. Así debemos ser nosotros y mantenernos firmes. Nosotros somos los ciudadanos de la Federación, somos el pueblo libre que lucha por las Leyes.

—Cuando lo oigo —dijo Cristóbal Montoya emocionado— siento una cosa en el pecho; es como cuando se le quita a uno un tercio de dulce del lomo y que se resuella con gusto. Yo le creo a usté, compa Teo; cuando lo oigo, y también a mi compa Cipriano, pienso en el General Morazán y me lo imagino como un San Jorge ¡pero grande, más que un pino!

—Compa Cristóbal, usté es un hombre de corazón. Usté es un ciudadano libre. Un hijo de mi General. Usté tiene que ser un gran hombre cuando cambie la vida. No olvide lo que en esta noche de huidera le anuncio.

—Nosotros —interviene Cipriano, conocimos a muchos hombres, grandes hombres, que habían sido humildes y descalzos. Si usté conociera al General Trino Cabañas... ¡Viera qué hombre! Y, sin embargo, nació de cuna humilde. Por eso quiere a los pobres y defiende a los montunos, a los aldeanos como nosotros. Andar con el General Cabañas es como andar uno con su mero tata.

—¿Se acuerda, manito —le dijo Doroteo con pupilas relucientes de alegría— cuando regresaron del Perú y que desembarcaron en La Unión, en El Salvador, que nosotros, al sólo saberlo corrimos de San Miguel a juntarnos con ellos?

—Me acuerdo, mano, como si fuera ahorita mismo. Cómo nos abrazaban, y el General Trino nos escogió para ir con él. Nos embarcamos en una goleta: la "María Josefa" ¿Se acuerda?

—Claro. —Y, dirigiéndose Doroteo a los demás, contó—: La expedición iba en dos bergantines, "El Cruzador", que era en el que iba el General Morazán con su Estado Mayor, y el "Cosmopolita". Tres goletas: "Asunción Granadina", "Isabel II" y la nuestra, "María Josefa". Salimos de la isla "Martín Pérez". ¡Qué travesía más hermosa hasta Costa Rica!

—Hermosa y jodida —intervino Cipriano, sonriendo—. Hermosa porque es una lindura andar sobre el mar; pero jodida porque marea. Muchos compañeros de armas, desde que subieron hasta que salieron de la goleta, fueron acostados: vomita y vomita.

—¿Y eso, compa? —preguntó Tobías.

—Cosas del mar...

Conversaron durante prolongado rato sobre los sucesos de Costa Rica, cuando el fusilamiento de Morazán, a causa de la traición de Mayorga, y de su regreso a El Salvador con Cabañas y los sesenta soldados de Curarén y Texíguat que se habían fogueado en San José de Costa Rica.

En el pueblo fueron disminuyendo las voces y apagándose las hogueras. La negrura de la noche se abría con el surgir del casco menguante de la luna. Ni una nube. Grupos de personas de las vecindades llevando ocotes encendidos, se alejaban de llamatepeque conversando a voces altas, temerosos de la noche porque estaban en tiempo santo y, en esa época, andaban las ánimas en la tierra haciendo romerías y buscando a los vivos para que las sacaran de penas al pagar promesas a los santos que no cumplieron por haber muerto antes. Los espantos en ese tiempo se multiplicaban. Era rara la noche que un aldeano no fuera asustado, ora por un "aparecido", ora por La Sucia, ora por los propios demonios de las cuevas de Malín.

Un grupo de tres personas iba por el camino del cementerio hacia las casas que había, media legua más allá, en la campiña. Las tres llevaban ocotes encendidos, a pesar de que la luna menguante esparcía luminosidad lechosa sobre la tierra.

—Quizá es hora de irnos —recordó Camilo Torres a sus compañeros de Chinda—: tenemos que meter pata a lo bruto para llegar rompiendo la madrugada o saliendo el sol.

—Sí, debemos irnos ya; pero esperemos a que pase esa gente.

Cipriano se puso de pie viendo a los hombres que, a pasos largos y rezando en voz alta el credo, iban a pasar por el frente de la garita. Dijo con picardía:

—Si yo lanzara un quejido o un grito, esos desgraciados se morirían de miedo.

—Dirían que los habían espantado.

—Así son los espantos, compa. Los muertos no salen. El hombre que va al hoyo se vuelve tierra.

—¿Y el alma? —preguntó interesado Pedro Cano.

—Sssss, ya los oyeron —dijo Lupe, señalando al grupo.

Había suficiente claridad para que las personas que pasaban viesen las sombras humanas en el cementerio. Y los vieron. Detuvieron la marcha y el Credo. Lo que siguió fue algo ridículo, pero real.

— ¡Jesús, María y José! —gritó uno.

—Son las ánimas! ¡Son aparecidos!

El tercero no pudo pronunciar palabra alguna, pero sus piernas tomaron tal carrera de regreso a las casas, que sus compañeros no podían darle alcance. Corrían más que un venado. Los alaridos de horror se elevan en la mansedumbre de la noche, espeluznantes, poniendo una nota de espanto en el silencio.

Se detuvieron hasta llegar a la plaza donde un grupo les rodeó sorprendido, preguntándoles por lo que les sucedía. Imposible contestarles. Se morían con los ojos desorbitados, los pelos de punta y la ansiedad que los asfixiaba.

— ¿Quiénes son?

— ¿Si es Casimiro Cortez y Silvestre López, el sobrino de Anteportam!

— ¡Este otro es Pablo Sánchez! ¿Qué les pasaría?

— ¡El azoro! ¡Los han espantado!

Ellos eran. Las gentes conocían cuándo una persona había tenido un mal encuentro con lo sobrenatural. Unos corrieron en busca de hojas de ruda, otros a traer raíces de valeriana, alguno buscó agua bendita. Unas mujeres les pusieron escapularios y rezaron precipitadamente, invocando el poder de las Tres Divinas Personas. Apareció Rogelio Lázaro con Antonio Tróchez, seguidos de los alguaciles. Nadie se enteró de dónde salieron. Al fin, media hora más tarde, cuando la rueda de gente había crecido en el patio de la Alcaldía, los hombres pudieron hablar.

— ¡Jesús, María y José! ¡Nos asustaron los muertos! ¡Allí estaban en rueda! ¡Yo vide sus calaveras y sus dientotes! ¡Ayyy, santo Dios! —¡Eran muertos! ¡Estaban como bailando! ¡Y oí una música infernal! ¡Yo los miré cuando nos hacían señas! ¡Dios me guarde!

—Sí —contaba el tata de Fulgencia, Casimiro Cortez—. ¡Eran un montón de muertos! ¡Tenían una tufazón bárbara! ¡Bailaban alrededor de otro muerto! ¡Y unos diablos, que echaban chispas por los ojos, oídos y el culo, tocaban música! ¡Parecía como si los demonios se estuvieran comiendo al muerto!

Todos escuchaban temblando, pegándose los unos a los otros como si estuvieran viendo a los cadáveres descarnados danzar ante sus ojos. Los familiares de los espantados les daban fricciones con hojas de hierbas misteriosas. Tróchez les habló:

—¿Y para dónde iban ustedes a esta hora y en Viernes de Dolores?

— ¡Ay, don Antonio de mi alma —contestó Casimiro— íbamos a casa de mi primo Silvestre, acompañándolo! ¡Ibamos sólo a pasarlo del Camposanto y vea usté que nos azoraron a los tres!

—Eso que les sirva para que en días grandes no anden saliendo en paseos. Mañana vayan los tres a confesarse y que el Tata-Cura les quite con agua bendita el susto y la pelusa de los muertos. A lo mejor eran almas en pena.

— ¡Está bien, Ñor Toñito, en cuanto claree iremos donde el Tata-Cura; ahora es muy tarde para levantarlo!

El azoro de Casimiro, Pablo y Silvestre tuvo en vela a las gentes hasta el amanecer. Había que oír las preguntas que les hacían los curiosos. Que si habían reconocido a alguno de los muertos. Que si había mujeres. Que cuantos eran. Que si habían visto los cascos hendidos de los demonios; sus cuernos; sus colas; sus ombligos, por que decían que los demonios, como los ángeles, no tenían ombligo por no ser hijos de mujer. Que a quién era que se estaban comiendo. Que cómo era la música infernal. En fin, todos querían saber algo específico para dar su oponión sobre el suceso sobrenatural. Y, en un momento de iluminación, Casimiro Cortez dijo:

—A lo mejor eran los Cano con los "Coludos". . .

Nadie se había acordado de los Cano, pero al hacer la alusión el padre de Fulgencia, inmediatamente todos coincidieron, encontrando así la justificación del suceso extraordinario.

— ¡Ellos eran!

— ¡No pueden ser otros más que los brujos!

— ¡Nadie lo puede dudar!

— ¡Qué malvados! ¿A qué difunto se estarían comiendo?

—¿No sería a mi pobre mama Martha? —se preguntó Pablo.

—No, porque Martha, la finada a quien Dios tenga en su gloria, hace poco que murió. Todavía no está engusanada.

—Es verdá y los brujos Come-Muertos buscan a los difuntos más podridos.

— ¿Y a quién, entonces, Casimiro?

— ¿No sería al herrero González?

—No; los endemoniados buscan a las difuntas.

— ¡Ah! entonces era el cadáver de Narcisa López!

— ¡No hay duda: los brujos se estaban hartando a la difunta Narcisa!

— ¡Dios nos guarde!

Habían hecho un gran descubrimiento. Los tres azorados se pusieron de acuerdo en que los demonios del Camposanto eran los Cano y que el plato del testín era Narcisa López.

Los Montoya y Tobías entraron ya tarde en su casa y les sorprendió que estaban levantados. Les informaron que había habido un azoro en el cementerio y que uno de los azorados era Casimiro Cortez. Los muchachos se acostaron tranquilos, riéndose de los tontos. Cristóbal le dijo a su padre, Joaquín Montoya:

—Acuéstate, papa; deben ser papadas de Casimiro; a lo mejor andaba bolo con Silvestre. Acuérdese que sólo pasan bebiendo chicha.

El asesinato

Libro cuarto

CONNUBIO EN LA NOCHE

Pasó la Semana Santa con sus tradicionales ritos, sus personificaciones, los Pasos, el Prendimiento, los judíos, el Lavatorio de los Apóstoles, las Siete Palabras, el Santo Entierro, las procesiones, el Judas ahorcado, la resurrección. Las cosas divinas absorbieron el interés de las cosas humanas. La celebración de la Semana Santa ese año en Ilamatepeque fue maravillosa, porque no todos los años iba el Tata-Cura.

Eulalia Durán, a pesar de ser días grandes, los pasó abatida, sombría, silenciosa. Con nadie hablaba, de no ser con los Montoya, Tobías o Pedro. Y, cuando les dirigía la palabra, sólo era para preguntarles:

—¿Lo han visto? ¿Me quiere todavía? ¿No me irá a dejar sola?

Ellos la consolaban. Le transmitían razones. Una vez Tobías le trajo un cenzontle que Cipriano había cazado; se lo mandó para que no estuviera triste. Había esperanzas; regresaría de la fuga y tendrían casa para amarse y vivir. Eulalia se alegraba e iba al río con sus amigas a conversar de novios; pero cuando ella nombraba a Cipriano, las otras dejaban sus risas y se santiguaban. Varias veces Eulalia peleó en el paso del río con viejas amigas, como Fulgencia Cortez, porque se santiguaran al escucharla nombrar a su amado. Se retiró de sus amigas y anduvo sola. Por su parte, las muchachas que temían a "los brujos del Colegio", se apartaban de su lado para evitar recibir parte del hechizo que Cipriano le echara para conquistarla.

En su casa, Cándida ya no la golpeaba ni la regañaba porque decía que su hija estaba peor del embrujo y se conmovía viéndola sentada en un rincón, jugando con el cenzontle, llorando, pensando. . .

—Pobrecita Laya —contaba a sus vecinos—,ahora sí está perdida. Las brujerías de esos excomulgados, que·han de ir derechito al infierno, la tienen chiflada. Se me detiene el corazón cuando la veo así.

—¿Y la cura del Tuerto Simón?

—Ya no hay cura para mi muchacha. Ni con la iglesia, ni con el Tuerto, ni siquiera con Ñor Juan Anteportam se compone. He hecho promesa a casi todos los santos, pero es inútil; la brujería de esos condenados es más fuerte.

—¿Y si la casara con Rogelio?

— ¡Ni hablar! Si cuando se lo mientan es como meterle fuego; sólo así sale de su zoncera. El otro día que él vino a buscar a Bartolo para que le fuera a tocar con el acordeón, se le acercó y, la hubiera visto; parecía más que endiablada: nunca antes había tenido eso. Y lo que hablaba no era de ella; era por arte de magia que repetía palabras de Cipriano.

Lo que pasaba en Eulalia era su sentimiento exacerbado hacia dos extremos divergentes. Amaba violentamente a Cipriano y odiaba a muerte a todos aquellos que lo calumniaban, inclusive a Bartolo y Cándida. No se separaba de su pájaro cantor, el cenzontle que le regalara Cipriano. Cándida ya estaba buscando la manera de torcerle el pescuezo porque ese pájaro debía ser parte de la brujería.

Al pasar la Semana Santa, el sacerdote se dispuso a partir, pero antes se preparó para ir a la hacienda San Cristóbal, que era propiedad de la iglesia. Esta noticia alegró a "Los Hijos de Morazán" y Cristóbal se adelantó a darles la buena nueva a los sargentos prófugos. Ya iban a poder salir de los montes para seguir viviendo en el pueblo, en "El Colegio".

—Hoy mismo bajaremos —dijo Cipriano al joven Montoya—. Iremos a nuestra casa. Quiero ver a Laya; pobrecita, debe sufrir mucho.

—Mejor esperen otros días, compas —sugirió Cristóbal—;si se han aguantado lo más, bien pueden aguantarse lo menos.

Cipriano siguió sus propios impulsos. Dejó el escondite en el monte y, con su hermano, regresó a "El Colegio". La casa estaba desolada, triste, con las huellas del allanamiento del Síndico Tróchez. En el monte vivieron de la caza de pájaros y animales, fáciles de atrapar, como cusucos, conejos, tepezcuintles, iguanas. Ellos no se desesperaban por esa vida; algo, mucho más fuerte, les mantenía optimistas, sobrellevando todas las vicisitudes e infortunios. Ellos creían en la vida nueva que establecerían los morazanistas con el General Cabañas al frente. Era la fuerza de su ideología liberal y revolucionaria.

Llegaron al atardecer a "El Colegio" y sólo encendieron la cocina de tierra para no dar sospechas de su presencia. Hicieron comida y permanecieron atentos, con sus armas al cinto y sus salveques de cuero al hombro, para estar listos en cualquier emergencia. Cristóbal fue hasta la casa de los Durán. Encontró a Eulalia sentada en el patio, contemplando sombras de la noche en una abstracción enojosa y enfermiza.

—Laya ¿qué tal te va?

—Hola, Cristóbal ¿lo has visto? ¿Qué te ha dicho?

—Callate y escuchá. Hacé como que vas a donde Pedro Cano y de allí te resbalás a "El Colegio". Te está esperando el compa Cipriano.

Aquellas palabras fueron como una inyección en el espíritu y cuerpo de Eulalia. Se puso de pie de un salto y, llevando entre sus manos el cenzontle, sin decir palabra, se dirigió a la casa de Pedro, al otro lado del barrio.

Cristóbal se fue atrás. Ella no se detuvo donde Pedro y marchó directamente a "El Colegio". Ya era de noche, pero sus ojos descubrieron en las sombras la presencia del amado. Se abrazaron y Eulalia lloró largo rato con un hipar histérico.

—No volveré a separarme de vos. Estoy dispuesta a seguirte a donde vayás.

—Eso no es posible, Laya. En cuanto el Cura se marche nos vendremos de nuevo a la casa. Hoy sólo bajé para verte.

Nadie nos tocará un pelo y entonces ya podremos formar nuestro cariño de verdad. Entonces no nos volveremos a separar. ¡Ah, Layita, cómo te encuentro! Debes haber sufrido mucho en estos días!

Eulalia comenzó a contarle todo su rosario de desgracias, de sus riñas en el paso del río con las muchachas, de su desolación en casa, al lado de los suyos. Eulalia desbordó su corazón y sus palabras bajo aquella sombra suave de la noche que traía olores a tierra reseca y humus quemado, cuando el aire soplaba del oriente; y lameduras frescas, cuando venía sobre las ondas del ancho río.

Doroteo, cansado de estar sentado en la cocina a oscuras, para no interrumpir a los enamorados, entró en la casa y se acostó sobre un petate; no debía estorbar la felicidad reconquistada de su hermano y la muchacha. Eran muchos días de no dormir ambos bajo techo, sino en los montes, bajo los árboles frondosos a la orilla del Ulúa o en las vegas pedregosas del Santa Lucía. Soportaron muchos sufrimientos, pero a ellos las vicisitudes no los doblegaban debido a sus años de experiencia en los ejércitos defensores de la Federación. Doroteo fue quedándose adormecido con las manos puestas de almohada.

—Debiste dejar el cenzontle en tu casa. Déjalo que duerma.

—Es mi única compañía, pues mi nana le torció el pescuezo a mi lorito porque le enseñé a decir: "Cipriano, te estoy esperando".

—¿Sólo por eso?

—Es que en mi casa te odian a muerte. Por eso, cuando me mandaste este cenzontle, me sentí alegre. Cuando canta me parece que me está diciendo palabras tuyas; que es tu voz que me llama desde el monte.

—Eres una mujer sin igual, Laya. Por eso te quiero y te traeré a vivir conmigo. Si viniera un Cura bueno, podríamos casarnos; pero no lo creo. Así que vamos a tener que amachinarnos.

—Ya te dije, Cipriano. Desde hoy, no volveré a quedarme sola. Yo no volveré a la casa de mis tatas. Si vos no me querés dejar como tu mujer, pues no me dejés; pero sí te digo que yo te voy a seguir como perrita por todas partes. Yo me muero si sigo más sin vos.

Cipriano la besó de nuevo. Tenía los labios cálidos, como la tierra al mediodía, como si tuviera fiebre. La estrechó más fuerte entre sus brazos y, al sentir en su pecho el contacto electrizante de los conos de piedra de aquellos senos virginales e intocados, su sangre india, acelerada y plena de vitalidad, le encendió el poderoso reclamo del hombre.

—Cipriano. . .

— ¡Layita mía. . .!

Hechos un nudo, rodaron por la tierra del patio en un delirante anhelar de posesión y entrega. El viento suave y cálido pasaba levantando hojas del patio sin barrer y donde las yerbas iban nuevamente conquistándolo todo. Muchas estrellas indiferentes allá arriba y cocuyos parpadeantes en los montes, esparcían pequeños hilos de luz.

Bajo las nalgas desnudas de Eulalia Durán, sin ser visto, definitivamente en silencio, el cenzontle sufrió la inmolación, aplastado por los cuerpos que, poseídos del frenesí del amor, celebraron su connubio silvestre, olvidados del mundo y del dolor.

Adentro de la casa, la respiración de Doroteo se hacía ronquido en su sueño tranquilo. En el patio, bajo la penumbra, el amor encendía sus lámparas humanas. En el poblado se escuchaba el ladrar de los perros y las voces altas de las gentes que iban buscando sus hogares. La voz de una madre venía con el viento del río. Clara se escuchaba su canción monótona:

Dormite, niñito,
cabeza de ayote;
si no te dormís,
te come el coyote.

Cipriano, con Eulalia recostada en su pecho ya adormecida, miraba el cielo más claro. No tenía idea sobre el tiempo transcurrido ¿Estaría amaneciendo? Sería el primer amanecer de su amor hecho realidad. Llevaría consigo a Eulalia donde quiera que fuera. Aún a la guerra marcharían juntos. Se sentía contento, satisfecho y también fue cerrando los ojos con la amada dormida sobre su pecho viril. Allá, en una semiconciencia, en las fronteras imprecisas de la realidad y el sueño, Cipriano percibía aquellas palabras de su primo Pedro: "La vida, sea como sea, es buena".

174

PRISIONEROS

¿Qué había sucedido? ¿Qué despertar era ese de violencia e inmovilidad? ¿No se había dormido teniendo a su lado, sobre su pecho a su mujer amada, después de apropiarse de su virginidad con el gozo inexorable de los sexos? ¿Seguía soñando acaso? ¿Por qué darle esa pesadilla en una noche de gloria como esa? Pero ¿dónde estaban la noche, las estrellas, el amanecer presentido?

Cipriano tardó un poco en darse cuenta de la realidad. Estaba atado y horizontal en un piso de tierra: el de la cárcel. Levantó la cabeza y lanzó un gemido porque el movimiento le hizo doler más allá del cráneo. ¡Le habían dado tales golpes en el cuerpo. . .! Se pasó la lengua por los labios y los sintió gruesos, enarenados, doloridos. Sí. Cipriano Cano se dio perfecta cuenta de que estaba preso.

A su lado, también atado desde los pies hasta el cuello, como él, estaba su hermano Doroteo, cubierto de sangre. Era la desgracia.

—Mano. . . mano Teo. . .

Aquel entreabrió los ojos y le vio con una mirada de fuego.

— ¡Nos chimaron, mano y por papos!

—¿Cómo fue. . .?

—No me di cuenta —Doroteo hablaba con lentitud pero cada frase le salía endurecida de coraje—· Desperté al ruido que hacían. Me encandilé con la luz de los ocotes y me encandilaron de un vergazo que me volvió a dejar echado. Comprendí que eran ellos. Quise sacar el machete, pero ya era tarde: me lo habían cogido.

175

—¿Y yo? Fíjese que nada supe. Hasta ahora me doy cuenta.

—Cuando salí al patio —prosiguió Doroteo—, cuando lo vi, pensé que usted estaba muerto. Lo trajeron como chancho. Yo pude venir por mis pies, pero recibiendo palos por todos lados; si más me matan. ¡Los hubiera oído cómo gritaban! Pero, en fin, óigalos afuera, están como jagüillas.

Cipriano hizo un esfuerzo arrastrándose hasta quedar arrimado a la pared. Afuera se escuchaban gritos desaforados, insultos y el eco de un tambor, el mismo que utilizaban para las fiestas y los bandos.

—¿Y Laya. . .?

—Se la entregaron a Bartolo. También le pegaron garrotazos.

—¿Quién nos capturó?

—Antonio Tróchez, Rogelio, Anteportam, García. Todos. Era una manada de jagüillas, mano. Los que más gritaban y golpeaban eran Marcos y Casimiro. ¡Quién lo hubiera dicho hace un tiempo. . .!

Afuera aumentó el griterío. Por las rendijas de la puerta se filtraba luz. Debía ser ya de día. Se oyeron golpes; ruidos de cerrojos y de cadenas. La puerta se abrió. Cerraron los ojos ante el fogonazo del día. Atados y golpeados fueron introducidos otros hombres a la pocilga.

— ¡Compas!

— ¡Ay, compas Cano!

Tobías Cortez, Cristóbal, Lucas y Serafín Montoya estaban ahí, atados, magullados, sangrando de la boca, desgarradas sus camisas. Se notaba que habían luchado. Los alguaciles traían dos cadenas de hierro y con violencia las ajustaron a los tobillos de los Cano.

— ¡Veremos si estos brujos se van de aquí!

Les dieron unos cuantos puntapiés y salieron, cerrando la puerta de la cárcel por fuera.

—Nos cayó la desgracia, compas —dijo Cristóbal con acento sombrío.

—Así es. Ahora tenemos que aguantarla.

— ¡Sabe cuánto vamos a aguantar. . .!

Parecía que nada tenían que decirse y, no obstante, los pensamientos eran un laberinto de esfuerzos en cada hombre. Cristóbal Montoya les relató:

—Nadie se imaginaba que ustedes estaban en "El Colegio" anoche temprano. Fue hasta ya tardecito, cuando Cándida, cansada de esperar a Eulalia, salió a buscarla; primero sola y después con Bartolo. Temían que su chifladura, porque ellos creen que ella está chiflada, la hiciera largarse a los montes o tirarse al río. Al no encontrarla, hicieron el escándalo. Buscaron al Síndico, al hijo del Alcalde y se les juntó más gente porque decían que seguramente ustedes se la habían llevado para entregarla al Diablo en cuerpo y alma, o para convertirla en animal.

—Dispusieron hacer una batida por los alrededores, esperando encontrar a Laya asesinada en cualquier yerbal. Yo no sé quién dio la idea de ir a "El Colegio". Nosotros nos reíamos pensando en que ustedes estarían viéndoles todas sus vueltas. Nos enteramos de que los habían capturado a los tres, cuando oímos los gritos y la tremolina de las gentes que despertaban al vecindario.

—"¡Han capturado a los brujos! ¡Los han capturado cuando estaban chupando la sangre a la Eulalia Durán!"

—Lo que no acabo de entender —concluyó Cristóbal— es cómo se dejaron agarrar tan fácilmente, compas.

—Descuido, compa. Por confiados.

—La confianza mata al hombre.

Y la culpable fue Laya —dijo Serafín.

Sí y no —dijo Cipriano, pensativo.

—No hay qué culpar a nadie —expresó Doroteo—: lo que va a suceder, sucede. ¿Y a ustedes, cómo los capturaron?

—Cuando vimos que los traían, nos escondimos en el tabanco de la casa. No podíamos hacer nada. Al amanecer nos fueron a buscar los alguaciles y un montón de paisanos. Nos descubrieron. Quisimos resistir y nos doblegaron. Eran muchos. No tuvimos tiempo de avisarle a Pedro. Seguro que lo van a traer también.

En la puerta daban golpes. Eran piedras lanzadas por manos frenéticas. A los gritos de "Mueran los Brujos", la emprendieron contra la cárcel. Los prisioneros callaban escuchando los gritos y pensando en lo que podía suceder si abrían la puerta. A veces, esos gritos se oían muy cerca; luego, más lejos, cuando los alguciles retiraban a los exaltados.

—Bueno, compas —dijo fatalista Doroteo—, debemos ser hombres para aguantar; quién sabe por cuánto tiempo nos van a meter en el cepo.

—¿Cepo? —preguntó Cipriano, pero no prosiguió expresando su pensamiento trágico y realista porque vio en las pupilas de los jóvenes el temor y no quiso aumentarlo.

Una hora más tarde volvieron a abrir la puerta. Un grupo armado sacó a los jóvenes, dejando nuevamente solos a los dos ex-soldados. Los cuatro muchachos fueron llevados al Cabildo entre golpes e insultos. El Alcalde ordenó que los pusieran en el cepo, donde quedaron inmovilizados, en el patio, bajo el sol y para ejemplo del pueblo.

—Aquí aprenderán mejor las brujerías— les dijo Rogelio.

—Si han aprendido —afirmó Anteportam López— que prueben a zafarse del cepo.

Unos vecinos les ultrajaron el rostro con una lluvia de escupitajos.

Afuera el asunto era más grave de lo que imaginaban los reos. Centenares de hombres vociferaban en la plaza. Había en aquellos gritos y amenazas tal odio, que el Alcalde tuvo que mandar una guardia para evitar el asalto inmediato. El estaba de acuerdo en que murieran, pero había que hacer el asunto en forma legal. En el Cabildo, dentro de la sala Consistorial, las autoridades deliberaban. Estaban todos muy contentos por haberles aprisionado. Por fin, las autoridades salían triunfantes después de soportar las burlas de aquellos hombres. Rogelio afirmaba que a su audacia y valor se debía la captura; pero el Síndico le disputaba el puesto.

— ¿Qué piensan hacer con los brujos?

— ¡Hay que meterles plomo! ¡Hay que fusilarlos!

Así pensaban todos en la Alcaldía, pero el Escribano hacía objeciones. No podrían fusilarlos así, sólo por la voluntad. Cierto que eran liberales, de los "coquimbos" legítimos, pero tendrían que aplicarles las leyes. ¿Y qué leyes? Buscándolas, Anteportam encontraba que podrían hacerles muchas cosas, pero no matarles, fusilarles.

—Para fusilarlos es necesario levantarles un proceso.

—Pues a sentenciarlos y a fusilarlos cuanto antes. Hombres como esos son una amenaza contra la tranquilidad pública. Quieren destruir la familia, las leyes, la iglesia, las buenas costumbres.

Por primera vez, Juan Anteportam estaba dubitativo. Era entendido en leyes; en llamatepeque nadie sabía como él de esos asuntos, ni siquiera don Gervasio y menos Rogelio. La solución del problema tenía que ser inmediata; en eso todos estaban de acuerdo. Ni siquiera desayunó, tal su preocupación. Con don Gervasio fueron a consultar al sacerdote que en ese día preparaba su viaje para la hacienda San Cristóbal. El sacerdote era un hombre de mucha sabiduría y todos le respetaban porque hacía muchos bienes y les llevaba la palabra de Cristo.

Al regreso, el Escribano comenzó a escribir la sentencia. Rogelio, Antonio Tróchez y don Gervasio se encargaron de traer a los testigos para comprobar que los Cano eran brujos y practicaban la magia negra. Juan Anteportam aportó todos sus conocimientos para la elaboración de la sentencia. Testigos sobraron; pero, en primera plana, estaban Casimiro Cortez, padre de Tobías; Marcos López, que había sido amigo de ellos; Fernando y Pablo Sánchez; Eusebio Berdugo. Todos aquellos que odiando a los Cano, estaban interesados en perderlos.

Cuando supieron que se necesitarían testigos, se presentaron más de cien para afirmar haber visto a los Cano cometiendo herejías en tal o cual sitio. Salieron a relucir cuentos lejanos que estaban vinculados a las víctimas. Por su parte, el Escribano era el que tomaba las declaraciones y las escribía.

—Vas a ver, Rogelio —se ufanaba Anteportam— los vamos a fusilar y saldremos limpiamente. Con este método mataremos varios pájaros de un sólo garrotazo: el gobierno del General Ferrera verá con buenos ojos que hayamos quitado a dos soldados del difunto Chico "Ganzúa". El Tata-Cura y el señor Obispo nos felicitarán porque hemos luchado con éxito contra la apostasía de los "Coquimbos" y, en último término, el pueblo estará satisfecho de haber quitado a unos enemigos que sólo males traen a los pueblos católicos y pacíficos —y en voz baja, agregó el viejo—: Y hay un jovencito que se alegrará de que quede libre una hermosa muchacha.

—No, don Juancito —dijo Rogelio—, para mí ya la Eulalia está muerta. ¿Cómo quiere que yo, el hijo del Alcalde, agarre sobras de los Cano?

—Es asunto tuyo, mi hijo; yo no digo nada.

—Y con los otros prisioneros ¿qué hacemos? ¿Los fusilamos también?

—No. No nos pasemos. A los Cano los odian muchos, pero a los muchachos no, y pudiera acarrearnos disgustos.

—¿Los mandaremos a Santa Bárbara?

—Preferible tenerlos en el cepo unos cuantos días. Allí aprenderán a pensar en la Federación y a llamarse ciudadanos como les han enseñado los Cano. Que aprendan a repetir como loros las palabras del bandido.

— ¿Cuáles?

—"Dios, Unión y Libertad", como decía Morazán, el tirano.

A eso del mediodía continuaban los ánimos exaltados, reclamando el fusilamiento de ambos hermanos. Todos se consideraban afectados por los hechizos de los Cano. Había llegado la hora de la venganza y las represalias sangrientas.

— ¡Muerte para los brujos! ¡Muerte para los maestros de la magia negra!

LA SENTENCIA

Después del mediodía, el alcalde, don Gervasio Lázaro, mandó pregonar en bando la sentencia contra los brujos de "El Colegio". El escribano la había hecho con detalles y el Síndico fue, personalmente, con los alguaciles para mejor enterarse del efecto entre el pueblo.

Era como una procesión. El tambor redoblaba y una corneta de caracol daba cintarazos sobre la espalda de aquel día abrileño. Hombres, mujeres y niños se aglomeraban para escuchar la sentencia del Alcalde, que iba a ser leída en la plaza y en la calle principal de Ilamatepeque para que se enterara el pueblo. Era un documento largo, que Rogelio Lázaro leyó, parado en un taburete, vanidoso, siendo vivado por la muchedumbre.

—"Sala Consistorial del pueblo de Ilamatepeque, a los cuatro días del mes de abril de mil ochocientos cuarenta y tres. —Vistas las declaraciones tomadas para averiguar la verdad de los hechos imputados a los individuos Cipriano y Doroteo Cano, oriundos y vecinos de este pueblo, a quienes el clamor público ha acusado como brujos o hechiceros, debido a que ejecutan una multitud de sortilegios con los cuales obtienen resultados fantásticos o diabólicos, que alarmando a todo el vecindario y pueblos circunvecinos. RESULTA: que el primero del mes recién pasado, según declaración del Señor Síndico Municipal, don Antonio Tróchez, y con motivo de un escándalo que promovieron los citados Cano, aquel empleado trató de capturarlos y recluirlos en la cárcel pública, en donde debían de permanecer en el cepo cuarenta y ocho horas, lo que no se pudo lograr debido a que los mencionados Cano, en precipitada fuga, se refugiaron en "El Colegio", lugar donde tienen la Academia de Brujería, o sea donde enseñan sus actos diabólicos a un número de jóvenes de este pueblo, Chinda, Gualala y Macholoa; que al llegar el Síndico en pos de ellos a las puertas de su casa, las encontró abiertas y observó que de las vigas de la habitación pendían dos racimos de guineos; que habiendo la escolta tomado algunos guineos para comerlos, observó que las conchas se transformaban en los ruedos de los calzones de los citados Cano".

— ¡Mueran los brujos de "El Colegio"! — ¡interrumpió el sacristán!

— ¡Qué mueran!

Los gritos se oían a larga distancia del lugar donde se leía la sentencia por Rogelio Lázaro, quien prosiguió con más garbo:

—"RESULTA: que los testigos, Eusebio Berdugo, Antonio Tróchez y Marcos López, afirman en sus declaraciones que el diez de marzo pasado, los Cano referidos, en estado de **embriaguez, a gritos amenazaban** destruir este pueblo por medio de un gran huracán que arrasaría todas las casas, llevándose el diablo a todo este vecindario; y que, en la madrugada del quince mismo, habiéndose levantado los declarantes muy temprano, fueron a lavarse las manos al río, cuando vieron que venía la iglesia de este pueblo sobre la corriente y que, en las torres, en el vértice de ellas, venían los temibles hechiceros, quienes dijeron a los declarantes que no habían podido llevarse la iglesia río abajo por haber tropezado con una gran cruz de plata maciza en medio de la poza llamada El Remolino, en la vuelta del río Ulúa cercana a esta población".

— ¡Mueran los Cano, enemigos de la Iglesia! —gritó García.

— ¡Mueran los hechiceros que se robaban la Iglesia! —rugió Berdugo.

— ¡Que les corten la cabeza por herejes y paganos! —pidió Marcos.

—Que se las corten!!!

Haciendo señales con las manos en alto, Rogelio pedía silencio a la enfurecida muchedumbre. Luego siguió leyendo la sentencia del escribano:

—"RESULTA: que los testigos, Luis Gómez, José Angel García, Fernando Sánchez, Teodoro Hernández y Juan Gómez, en sus declaraciones afirman que Cipriano y Doroteo Cano han puesto verdaderos criaderos de gusanos en las piernas de varios vecinos de este pueblo, en cuenta el maestro herrero Juan González, que murió comido de ellos; Martha Sánchez, quien en su agonía depuso una enorme hicotea, que ellos le habían entroducido en el estómago, hechos probados porque ellos mismos se vanagloriaban de hacer dichos perjuicios".

— ¡Que mueran los criminales! ¡Qué mueran los asesinos!

— ¡Que les metan a ellos una hicotea por el trasero!

Un poco enronquecido, el hijo del Alcalde prosiguió su lectura:

—"RESULTA: que los testigos, Silvestre López, Casimiro Cortez y Pablo Sánchez, confiesan que una noche vieron a Cipriano y Doroteo Cano, el Viernes de Dolores de este año, a las doce de la noche, en el Camposanto, que está a la orilla de esta población, comiéndose el cádaver de la señora Narcisa López en compañía de varios espíritus diabólicos que les acompañaban en el festín, mientras que otros seres invisibles tocaban instrumentos desconocidos, cuyas notas espeluznaban a los declarantes que salieron en precipitada fuga, horrorizándose de semejante espectáculo".

— ¡Que mueran a pedradas!

— ¡Que mueran hoy mismo los brujos!

— ¡Quememos a los sacrílegos come-muertos!

Era temible aquella exaltación de los ánimos contra los prisioneros por parte de sus propios hermanos de raza.

LOS BRUJOS DE ILAMATEPEQUE

—"CONSIDERANDO: que hay una multitud de declaraciones en que se afirma que Cipriano y Doroteo Cano han hecho bajar al sepulcro a todos los enemigos que han tenido y a otros que han dejado rencos, sordos y mudos. CONSIDERANDO: que cuando han andado en paseada dichos señores Cano, han afirmado que a ellos no los puede matar nadie, porque en Managua aprendieron las artes que saben de magia. CONSIDERANDO: que según los informes dados por los mismos Cano, han acompañado en sus correrías por Gualcho, La Trinidad, San Pedro Perulapán, Guatemala y Costa Rica al bandido de Chico Morazán, que acaban de ultimar, para bien de Centro América los patriotas de Costa Rica; y que, siendo dicho Morazán enemigo de nuestro país, son también considerados como tales los que acompañaban a aquel tirano nefasto. POR TANTO":

— ¡Mueran los federales!

— ¡Maldición para "Chico Ganzúa", despojador de la Iglesia!

— ¡Mueran los unionistas!

— ¡Al patíbulo los hechiceros Cano!

— ¡Que vayan al infierno donde está Morazán!

— ¡Viva Carrera! ¡Viva el Tata-Cura!

— ¡Vivaaaaa!!!

El anhelo de muerte de los hombres alegraba infinitamente el señor Alcalde y sus adláteres, quienes escuchaban la sentencia en la plaza pública.

—"POR TANTO: Esta Alcaldía, oído el parecer del Fiscal de la Municipalidad, de sus regidores, alguaciles de Corte y de Campo, y, más que todo, tomando en cuenta el clamor público, que pide sean ultimados esos brujos para lograr la tranquilidad y sociego de la población, SENTENCIA a Cipriano y Doroteo Cano que sean fusilados en la plaza pública de este pueblo, cerca de la Cruz del Perdón. . ."

186

— ¡Oooooooouuuuuuuuuuuuu. . . . —Rugió la multitud frénetica.

—Silencio, por favor! ¡Escuchen. . .! El día de hoy, a las cuatro de la tarde, y que después de la ejecución sean arrastrados los cuerpos con sogas; paseados por las calles principales de este pueblo y conducidos así a la otra orilla del Ulúa, en donde serán sepultados en la cima del Cerro Pelón que allí se encuentra, para ejemplo y escarmiento de pícaros y hechiceros; que se incendie la casa que tienen esos individuos en el lugar de "El Colegio" y que se den cien palos a cada uno de los discípulos que tenían y que están presos en el cepo de la Sala Consistorial del pueblo. Item: se ordena que esta sentencia sea publicada por el pregonero, al son del tambor y de la corneta por la calle principal de esta población, antes de la ejecución, advirtiendo que todo aquél que abogue por el perdón de los reos, así como el que se niegue a apedrearlos cuando estén muertos, sufrirá cien palos en la espalda. Dado en la Sala Consistorial de este pueblo de Ilamatepeque, firmada de mi mano y autorizada por el Escribano de esta Alcaldía Consistorial, a los cuatro días del mes de abril de mil ochocientos cuarenta y tres. GERVASIO LAZARO, Alcalde Primero Constitucional, JUAN A. LOPEZ, Escribano".

Los últimos párrafos de la Sentencia, muy pocos los oyeron porque la multitud bramaba a cada palabra de Rogelio Lázaro. Oteaban la sangre y querían ya verlos muertos para apedrearlos y arrastrarlos. Muchos gritaban inconformes porque no habían puesto en la Sentencia todas las hechicerías que los Cano habían realizados, especialmente el "amarre de las nubes", con lo que detuvieron las lluvias. Gritaban alzando los sombreros de ilama, enronqueciendo de tanto lanzar blasfemias y mueras. Gritaban hombres y mujeres y hasta los niños, azuzados por los principales del pueblo y por los Mayordomos de las Congregaciones religiosas.

La corneta y el tambor anunciaron que marchaba el pregón hacia la calle principal. Muchas gentes les siguieron para volver a oír la Sentencia; pero otras, siguiendo a José María García, corriendo hasta las afueras del poblado, llevando ocotes encendidos y, en pleno día, incendiaron "El Colegio". Las llamas se elevaron y de todo el pueblo se vio el siniestro, siendo saludada la hazaña con gritos y vivas.

— ¡Se acabó la Academia de los Brujos!

— ¡Se acabó "El Colegio" de los hechiceros!

— ¡Se acabó la madriguera de bandidos y ladrones!

— ¡Que viva el señor Alcalde!

— ¡Que viva el General Francisco Ferrera!

— ¡Que viva el General Carrera, defensor de la Iglesia!

— ¡Muerte a los hechiceros!

— ¡Rejuntemos piedras del río!

— ¡Viva el Tata-Cura!

— ¡Viva San Cristóbal!

— ¡Mueran los brujos unionistas!

— ¡Mueran! ¡Mueran! ¡Mueran!

EL FUSILAMIENTO

Mucho antes de las cuatro de la tarde de ese cuatro de abril, la plaza de Ilamatepeque está apretada de vecinos y de muchas otras personas que han llegado de lugares cercanos hasta donde ha trascendido la noticia de la captura de los brujos de "El Colegio". Conversan agitadamente y raro es el hombre que aún no tiene en sus manos un par de guijarros para el acto de lapidación póstuma, ordenada por las autoridades municipales.

Los munícipes están en el Cabildo. Antonio Tróchez, el Síndico, tiene a sus órdenes el pelotón de fusilamiento, armado de carabinas y fusiles. Unos de ellos son voluntarios, como Marcos López y Eusebio Berdugo, que aún cuando ignoran manejar las armas, quieren demostrar su odio para los que antes llamaron amigos.

El sacerdote llegó, no para administrar los sacramentos, puesto que a esos hechiceros les estaba vedado tal honor y gracia, sino para conocerles. Le abrieron la puerta de la inmunda cárcel y pasó adelante, acompañado de cuatro hombres de su séquito. Los dos reos estaban con los rostros inflamados y violáceos, debido a los golpes y a las ataduras, que iban desde los pies hasta el cuello.

—¿Con que sois vosotros, oh infortunados, los tan conocidos brujos de "El Colegio" de hechicerías? ¿Sois vosotros los endemoniados, que tanto mal habéis hecho a este pueblo de católicos? No lo parecéis. Ojalá que ahora reconoscáis, que quien con el demonio se mete, pierde a Dios y pierde al demonio.

Y sonrió con benevolencia, pero sin aproximarse mucho a los dos hombres. Estos le escucharon sin contestar. Suponían o sabían que toda su desgracia venía de los consejos de ese hombre a los munícipes fanáticos.

—Ya lo veis, oh infortunados, la hechicería es mal negocio. Ahora ¿de qué sirven las ciencias ocultas y tanta sabiduría infernal? Dios es piedad y amor; pero cuando Dios castiga, es con mano inexorable. Yo, como sacerdote, nada puedo hacer por vosotros. Soy salvador de almas y las vuestras, oh infortunados, están entregadas a Lucifer. Sólo os espera el infierno por los siglos de los siglos.

—¿Qué más infierno que este donde usted es el Sumo Sacerdote? —dijo Doroteo, con palabras entrecortadas por la apretazón de su pecho—. ¿Cree usted que nosotros desconocemos lo que esconde bajo esa sotana y bajo esa máscara de piedad?

—Se ve que eres un perfecto hereje. Así son todos los fulleros que anduvieron en correrías con las hordas de aquel nunca bien excomulgado "Chico Ganzúa". Todos acabarán iguales. ¡Es el mandato de Dios!

—Es el mismo cantar de todos los clericales y embaucadores. Empujan a los "papos" a sacarles las castañas del fuego. Ni siquiera tienen el coraje de enfrentarse como hombres. Se esconden para tirar la piedra, como hace ahora usted, "golilla". Cuando estaba la Federación, andaba muy humildito, pero por detrás empujaba a los indios a la guerra. ¡Hipócrita!

—¿Los estáis oyendo? —preguntó el sacerdote a sus cuatro acompañantes—. ¡Así son los endemoniados!

—¿Por qué no les dice la verdad a esos brutos? —preguntole Doroteo—. Dígales que a nosotros nos persiguen, no por brujos, porque no hay tales brujos más que en la mente de los fanáticos, sino porque somos unionistas, morazanistas; que es por las ideas políticas.

—¿Por qué no les dice que nos quieren matar porque no queremos pagar los diezmos y primicias y nos oponemos a que los demás paguen?

—Dígales quiénes son lo dueños de las tierras y por qué los campesinos se mueren de hambre, aunque se maten trabajando todos los días.

—Dígales también cuánto se embolsó de la Semana Santa y lo que el Alcalde robaron con las rogaciones?

— ¡Chitón, infortunados! —ordenó el Cura, con el rostro enrojecido de cólera. Y se dirigió a los mozos con bondad—: Oidlos, hijos: es el demonio que habla por sus bocas, porque el demonio se ha posesionado de sus almas perdidas. Ni después del Juicio Final podrán ver la luz del cielo.

Uno de los mozos, indignado, se adelantó con el machete para descargarlo contra Doroteo. El sacerdote le contuvo con un gesto.

—No, hijo mío; la violencia es pecado —y, dirigiéndose a los prisioneros—: Poca cosa es la muerte para los réprobos.

—Lárguese de aquí —pidió Cipriano—; su presencia nos ofende.

—Lárguese y le deseo larga vida para que vea cuando triunfe de nuevo la revolución de Mi General y sea efectiva nuestra consigna: "Dios, Unión y Libertad".

— ¡Endemoniados; oh, infortunados!

Y, dando la vuelta mientras acariciaba la cruz de oro que pendía de su cuello, el piadoso sacerdote salió de la cárcel, seguido de sus mozos indígenas. Inmediatamente después llegaron los alguaciles a sacar a los condenados. Con dificultad les pusieron de pie y tuvieron que desatarles las piernas para que pudieran avanzar, llevando arrastradas las cadenas infames.

El cielo parece derretirse en plomo. Los dos hermanos son empujados hacia la plaza atestada de gente. Un grupo de exaltados quiere darles palos, mas la guardia lo impide, porque aún no es hora; sin embargo, de lejos algunos hacen blanco en sus cuerpos con guijarros.

—¿A dónde nos llevan?

— ¡Ya lo sabrás, brujo maldito!

191

Los llevan hacia la Cruz del Perdón. La multitud ha callado como timorata; los más cobardes y supersticiosos se apartan, haciendo cruces. Cipriano escruta con su mirada de águila entre tantos rostros conocidos, en busca de Eulalia. No está. Es el colmo de la desgracia caer en manos de los enemigos cuando comenzaba su felicidad con la dulce moza de los senos de jícaro. Los dos avanzan entre dos paredes humanas que les ven con odio, que quisieran golpearles. Pero nadie se atreve porque la imponencia vertical e indomable de los hermanos Cano tiene una extraña autoridad.

¡Allí no más! —ordena Tróchez, señalando la Cruz del Perdón.

Retiran a las gentes que estaban detrás de los Cano. El grupo de tiradores descalzos es colocado al frente, en fila. Entonces comprenden los Cano que van a ser pasados por las armas atados, pues tienen miedo de soltarles las manos. Los consideran brujos y pueden escaparse convirtiéndose en humo.

La corneta y el tambor tocan lúgubremente. Cipriano, sin perder el buen humor, dice:

—Mejor hubieran traído a Bartolo para que tocara sus "Arranca Pezuñas".

Los dos hermanos están muy cerca, pegados para no caerse. Sus cabezas descubiertas muestran su pelo rebelde y ensangrentado. No se doblegan. No piden perdón ni suplican piedad a sus verdugos. Aceptan su destino con todo coraje. Son soldados. Soldados de los ejércitos más bravos de Centroamérica. Habían visto morir a otros hombres, a su propio jefe, en San José de Costa Rica. Sus matadores son los mismos que dispararon contra el Caudillo de la Federación. Ellos morirían por la misma causa. A Morazán lo acusaron de perturbador del orden conservador-clerical en Centroamérica, y, a ellos, soldados, los acusan de perturbadores del mismo orden en Ilamatepeque; les asesinan llamándoles brujos.

—Mano Teo —murmura Cipriano, viéndole con cariño— de esta ya no escaparemos. Nadie nos puede rescatar como en Guatemala. Los soldados de la libertad están dispersos.

—Dispersos, nada más, pero vivos. Vamos a morir, manito, pero la causa seguirá adelante. Centroamérica es grande y la causa es aún más grande y más firme. Quiero que me perdone, mano, si en algo le he ofendido alguna vez.

—Perdone usted también, si lo ofendí. Nacimos de la misma madre y juntos hemos vivido toda la vida.

—Juntos y como hombres de bien.

Tróchez ha formado a sus sicarios. A una orden de corneta, se ponen en atención. Entre reos y soldados hay unos diez pasos. A la espalda del pelotón está el pueblo impresionado. En primera fila, el Alcalde Lázaro; su hijo, Rogelio; el Escribano, Anteportam; los Regidores. Desde la puerta de la Iglesia, observan el sacerdote y José García, rodeados de un grupo de mujeres que rezan, porque puede suceder, que, en ese momento, los demonios de Pencaligüe quieran intervenir en favor de los brujos. Rezan para que no falle la sentencia.

— ¡Milicianos, apunten al pecho! —grita Antonio Tróchez.

Las bocas de los diez fusiles y carabinas se abren hacia los dos hombres atados y encadenados. El sol les da de frente. Sudan inmóviles, sintiendo el acelerado palpitar de sus corazones. La gente del pueblo está callada. Teme que en ese momento supremo del ajusticiamiento pueda suceder algo inesperado, fantástico, que les arrebate su presa. Los reos respiran fatigados por la presión de las cuerdas.

—Adiós, manito del alma. . .

—Adiós, manito, adiós. . .

— ¡Fuego!!!

Truena la voz del Síndico Municipal. Centenares de respiraciones se contienen y, en medio del silencio, solamente se oye un disparo y el martillar de los fusiles.

— ¡Ah! —exclaman las voces de la multitud emocionada, impresionada por la falla del pelotón y de las armas.

— ¡Son brujos! ¡Son brujos! ¡No les entran las balas!

Hay remolino humano de pánico y la agonía de los Cano se prolonga. Los de la primera fila se aproximan a los soldados a inquirir. Los hombres no toman en consideración el enmohecimiento de las armas y de los proyectiles. Se disculpan.

— ¡A los brujos no se les puede matar con balas! ¡No les entran!

— ¡Nos han amarrado los fusiles!

— ¡Entonces, quemémoslos! —sugiere un Regidor de ojos felinos.

—Imposible —interviene el Escribano—: la sentencia dice que deben morir fusilados y no quemados.

Discuten con calor; el suceso viene a corroborar la calidad de hechiceros de los Cano. Ellos han dominado a las armas de fuego.

—Es fácil —dice uno de ellos— hay que curar las balas.

— ¿Con qué?

—Con algodón y cera bendita —opina el Tuerto Simón—. Pídanle al Tata-Cura.

El propio Síndico corre hasta llegar a la Iglesia. El sacristán, a una orden del sacerdote, entra en el templo en busca de la cera y el algodón benditos y los entrega a don Antonio.

—Dios quiera que con esto no haya más poder mágico.

—Así sea, Antonio; que así sea. El poder de Dios es omnipotente.

Todo el mundo está nervioso y asustado; todos comentan, rezan, se persignan piadosamente. Los sentenciados casi no pueden mantenerse de pie. Las ligaduras brutales y el sol de verano les sofocan, les asfixian. Se han juntado más para

194

sostenerse cuerpo a cuerpo. De un momento a otro pueden caer por el sufrimiento.

Los alguaciles "curan" las balas con el algodón y la cera en presencia de los jefes de la Comuna Constitucional. El pueblo clama a Jesucristo y a los santos para que no vuelvan los brujos a "amarrar" los fusiles. Por fin están listos y el pelotón formado.

— ¡Apunten!

Doroteo y Cipriano tienen un gesto terrible de sufrimiento; sus rostros están irreconocibles; no les queda espacio ni para la desesperación; quisieran gritar alto su último viva a su General Morazán; su protesta ante la ignorancia; su repudio al conservatismo clerical, pero sus bocas resecas no se pueden abrir lo suficiente. A sus ojos el día se ha puesto muy rojo y van a perder el conocimiento.

— ¡Fuego!!!

Truena una descarga cerrada. Una cortina de humo se levanta de los fusiles y carabinas.

— ¡Upa! ¡Ahora síiii! —gritan voces jubilosas—. ¡Están pegados!

Los hermanos Cano reciben varias balas en sus cuerpos; se doblan en silencio; caen sobre la tierra reseca, al pie de la Cruz del Perdón. Se escapa la sangre y sus vidas. Los municipales se aproximan a los cuerpos y constatan su defunción.

— ¡Han muerto los brujos! —grita don Gervasio a la multitud, levantando los brazos—. ¡Que se siga cumpliendo la condena.

Los desatan y, con las mismas cuerdas, los amarran del cuello y los van arrastrando por la calle Principal de llama. Comienza, entonces, la lluvia de piedras a caer sobre los cadáveres aún calientes. La corneta y el tambor tocan diana. El sacristán sube al campanario y repica con entusiasmo las campanas sonoras. Por la tierra sedienta de lluvia, por los empedrados, van quedando girones de ropa ensangrentada y una huella húmeda que los pies descalzos de la multitud borran muy pronto.

— ¡Tira tu piedra! ¡Si no, recibirás cien palos!

Los cadáveres pasan por el patio de la casa de Joaquín Montoya. Algunos le gritan para que salga a lanzarle la piedra de ley. Joaquín sale, pero no obedece al Síndico, ni al Alcalde ni a los vecinos que lo apuran a cumplir con la obligación de tirarles piedras a los cuerpos.

— ¡No! ¡Esto es un crimen! ¡No! ¡Primero me cortarán las manos!

— ¡Entonces —grita, ordenando el Alcalde— llévenlo al cepo y le aplican el castigo de ley: cien palos!

Los alguaciles se llevan a Joaquín Montoya, al anciano padre de "Los Tres Macacos", que están metidos en el cepo desde por la mañana.

Muchos se ensañan apedreando a los muertos, como si mataran víboras; otros, timoratos, las tiran por compromiso y se apartan, haciendo la señal de la cruz.

Así son arrastrados los dos cadáveres por las calles de Ilamatepeque, guiados por el Alcalde. Luego van al río y lo pasan en canoa; muchos se desvisten y lo pasan a nado para continuar lanzando piedras a los cadáveres. Los llevan hasta el Cerro Pelón, llamado "Cerro de las Campanas", donde ya tienen abierto un solo hoyo. Allí tiran los cuerpos destrozados y rápidamente los cubren de tierra y piedras.

— ¡Cayeron: bendito sea Dios y nuestro Señor Jesucristo!

—Apisónenlos bien. Son capaces de salirse de aquí.

—Me corto una oreja —dice Rogelio— si estos brujos se levantan más.

Regresan comentando la gran diversión y justicia del pueblo. Por todos lados se habla del poder de los brujos en ese atardecer de abril y del poder de la cera y el algodón benditos. Es el triunfo del bien contra el mal; de Cristo contra el Demonio; de la verdad contra la mentira. Ahora el sacerdote, montado en su mula, se aleja de Ilamatepeque seguido de muchas gentes, mujeres en su mayoría. Marcha hacia San Cristóbal, la hacienda de la Iglesia.

Don Gervasio se sienta en el sillón del Alcalde cuando dejan pasar a la Sala Consitorial a Pedro Cano, que llega sudoroso, jadeante, como caballo que ha trotado leguas. Le acompaña Pedrito, que trae los pies sangrantes, y los hermanos Torres.

— ¡Comisión para usté, señor Alcalde!

— ¿De quién?

— ¡De Santa Bárbara. . . del Jefe Departamental, don Pascual Paz!

Precipitadamente, don Gervasio abre un sobre y entrega al Escribano su contenido, quien lee, primero en voz baja y después en alta voz:

"Santa Bárbara, 4 de abril de 1843.

Señor Alcalde Primero Constitucional
Ilamatepeque

Se servirá usted remitir inmediatamente a este despacho a Cipriano y Doroteo Cano, que usted tiene presos y condenados a muerte, según mis informes. Le advierto que si usted continúa maltratando a los presos y procede a su ejecución, será usted responsable por ese asesinato, ya que, procedimientos así, usurparían funciones que son exclusivas del Supremo Gobierno.

D. U. L.

(f) PASCUAL DE PAZ".

Sigue un silencio expectante. Don Gervasio está lívido y tiembla todo su cuerpo. Los demás municipales se ven entre sí, sorprendidos. Pedro, comprendiendo lo que ha pasado, se restriega las manos con rabia. Y, dando un gemido aterrado, protestó:

—¡Los han asesinado! ¡Es un crimen! ¡Son asesinos!

Con gesto desesperante, sale de la sala, seguido de su hijo y de Camilo y Lupe Torres, sin que nadie les obstaculice el paso. En el patio grita acusador:

—¡Asesinos. . . asesinos. . . asesinos. . .!

Los alguaciles quedan sorprendidos al ver que las autoridades no ordenan dar a Pedro Cano y compañeros los cien palos que ordena la sentencia.

UN PUEBLO PROCESADO

La nota terminante del Jefe Departamental, don Pascual de Paz, causó revuelo en llamatepeque. El desborde pasional del fanatismo tardíamente pretendía rectificar. El Alcalde, brutal y despótico para con los hermanos Cano, ahora se mostraba timorato ante las autoridades superiores que venían a pedir cuentas por aquella acción criminal, por aquel vil asesinato de los dos ex-soldados del General Morazán.

Pedro Cano fue de nuevo a Santa Bárbara a informar de los hechos consumados y una delegación se presentó en llamatepeque, encabezada por el propio Jefe Departamental porque el caso era de gravedad. El Señor Cura se había trasladado a Zapote Alto, de manera que don Gervasio Lázaro, con sus cofrades de la Municipalidad, se encontraron ante la acusación de la justicia por haber usurpado funciones.

Gervasio Lázaro; su hijo, Rogelio; el Fiscal, Antonio Tróchez; el Escribano, Juan Anteportam López; los Regidores, apremiados por las autoridades de Santa Bárbara, pretendieron defenderse afirmando la personalidad de brujos de los Cano y sus mil fechorías.

—Eran brujos y hacían maldad al pueblo.

Esa era su posición y con la cual intentaban justificar el crimen. Y traían a la Alcaldía a todos los testigos que habían declarado y que afirmaban conocer los hechos de hechicería, jurando en nombre de Dios haber presenciado tales magias.

—Yo los vi comiéndose el cadáver de Narcisa López —afirmaba Casimiro Torres, temblando de miedo porque solamente repetía lo que le dijera Anteportam— y los vieron igual Silvestre López y Pablo Sánchez, el Viernes de Dolores en el Camposanto.

—Nosotros los vimos venir por el río Ulúa montados en la Iglesia —decían tímidamente Marcos López y Eusebio Berdugo, buscando el amparo de la presencia de Rogelio Lázaro, que les había dado guaro para que declararan así—. Y los oímos decir en "El Colegio" que iban a arrasar al pueblo con un huracán nunca visto. Y los vimos también hacerse chanchos y lechuzas para ir a molestar a las propiedades de sus enemigos.

—Ellos mataron al maestro herrero, Juan González y a Martha Sánchez, metiéndoles gusanos en el cuerpo y una hicotea en la panza.

—Ellos dominaban el fuego como sólo pueden hacerlo los protegidos de Satanás, conocedores de la magia.

—Dominaban hasta las lluvias. Ellos amarraron las nubes para perjudicar a los católicos de Ilamatepeque.

—Sí, y no contentos con amarrar las nubes y provocar la sequía, cambiaron la corriente del río para echarla a su maizal, utilizando el poder de Lucifer.

—Eran brujos.

—Tenían Academia de Magia en "El Colegio".

—Allí se transformaban y salían a hacer destrozos por el pueblo y los lugares vecinos, convertidos en jagüillas.

—Ellos eran brujos. Alcantariaron a mucha gente, en cuenta a Eulalia Durán, la hija de Bartolo y Cándida. La iban a entregar al Diablo en cuerpo y alma la noche que los capturaron.

—Y alcantariaron también a muchos muchachos del pueblo, llevándolos embrujados a "El Colegio" para servirse de ellos diabólicamente.

—Y también el Tata-Cura dijo que eran brujos y que merecían la muerte.

Repetían y repetían acusaciones absurdas, revelándole al Jefe Departamental el grado de superstición de la colectividad de llama.

—Pero don Gervasio ¿cómo es posible que una persona como usted dé crédito a tanta tontería y haya sentenciado a dos inocentes sin tener poder para ello?

—El pueblo entero lo pedía ¿qué podía hacer yo, señor Jefe Departamental?

Usted, que es el Alcalde, debió calmar a la gente y remitir a los reos a la cabecera. Ahora aténgase a las consecuencias. ¡Este asesinato no quedará impune! Y usted va a salir de la Alcaldía quizá para una cárcel.

—El pueblo quería. . . el pueblo. . . ¿qué iba hacer yo?

Los jóvenes amigos de los Cano fueron sacados del cepo y de la cárcel. Los habían torturado por considerarlos aprendices de brujos. Al ser presentados al Jefe Departamental, fueron claros en sus deposiciones.

—Nosotros —dijo Cristóbal Montoya— éramos como hermanos con Cipriano y Doroteo Cano. Visitábamos todos los días su casa; ellos nos enseñaron a leer y escribir; por eso le pusimos a la choza "El Colegio" y después las malas gentes, como el Alcalde, dijeron que era colegio de brujerías. Los Cano sabían más que todos los de llamatepeque, más que el Escribano, que se las pica de sabio y por eso les tenía envidia. Nosotros ahora podemos firmar y contar porque ellos nos enseñaron con paciencia y amistad. Y eso no es brujería, más que para los brutos de mis paisanos.

—Ellos nos enseñaron muchas cosas buenas —intervino Lucas— cuando vino la sequía trabajamos haciendo una acequia para llevar agua a la milpa. Salieron en Rogaciones con San Cristóbal y fueron allá, dirigidos por don Gervasio y las congregaciones. Destrozaron el maizal y tapiaron la acequia. ¿Qué brujería había en nuestro trabajo honrado?

201

—Que dicen que había magia —señaló Serafín— pues sí, ellos sabían hacer varios trucos con pañuelos y prendas, pero eso era para divertir a la gente y a nadie hacían mal. Y es mentira que hayan matado a una persona en este pueblo. Al contrario, eran buenos y querían a sus amigos. A Pedro le curaron una tos viejísima. A mí las fiebres. Trataron de salvar a muchas personas. Juan González, si no se curó, fue porque Dios no quiso así, porque por remedios y atenciones de todos nosotros, se hubiera salvado. Tenía llagas pero no gusanos.

—La verdad es —afirmó Tobías Cortez— que como ellos sabían más que todos, los principales del pueblo les tomaron inquina. Y, además, la mera verdá, que como ellos habían sido soldados del General Morazán y como aquí la mayoría, comenzando por don Gervasio, son cureros, pues no los dejaron tranquilos hasta matarlos.

—Y nosotros veníamos desde Chinda —informaron los Torres— como también otros compas de Gualala. Ellos nos estaban enseñando a leer y escribir y habíamos hecho una milpa juntos. Nos daban buenos consejos para saber tratarnos los hombres, porque todos, siendo hijos de Dios, somos hermanos y debemos ayudarnos. Nos enseñaron la fraternidad, la igualdad y la libertad.

Lo que conmovió al Jefe Departamental, don Pascual de Paz, fue la presencia de Eulalia Durán. Los jóvenes le informaron sobre los sufrimientos que le habían causado los padres y los brebajes que le estaban suministrando, capaces de afectarle la razón. Bartolo y Cándida se negaron a presentarla y fue preciso que el propio don Pascual fuera a su casa.

La tenían amarrada en uno de los horcones de la vivienda y en su rostro se apreciaba la huella de los castigos a que la sometían. La hizo soltar inmediatamente y la muchacha, llorando, al darse cuenta de que era autoridad de Santa Bárbara, acusó a sus padres por los maltratos y por el odio injustificado contra los Cano.

—Yo quería a Cipriano —le confió a don Pascual—, lo quería con toda mi vida; por eso, en aquella noche, me quedaría con él para siempre; no volvería más a esta casa. Sería su mujer y no nos separaríamos más. Y, ahora, ¡lo han matado, señor! ¡Me han matado mi única dicha y no quiero estar más en esta casa ni en este pueblo de criminales! ¡Sáqueme usted de aquí; lléveme lejos, porque, si no, me tiraré al Ulúa.

—Cálmate, muchacha, cálmate. . .

—No puedo, señor. —Usté es bueno. Usté me comprende. Soy una infeliz. ¡Me han matado a mi hombre estos viles, estas víboras! —y, presa de histerismo, se desahogó dramáticamente: — ¡Viles; son viles! ¡Lo han matado porque eran más sabios que todos los de este pueblo! ¡Dios los va a castigar con fuego y sangre! ¡Hay una maldición ya contra este pueblo de pícaros! ¡Dios los va a destruir con centellas!

— ¡Si no fuera que estás embrujada —dijo Cándida, colérica— te sacaría la lengua!

Don Pascual intervino. Trasladó a Eulalia a la Alcaldía, donde ella relató toda su historia de amor y de sufrimiento.

Don Pascual fue sensible a la tragedia de Eulalia; le había simpatizado y le ofreció llevarla consigo a Santa Bárbara, donde podría trabajar en la casa de él como cocinera. Eulalia aceptó sin vacilación; en Ilamatepeque sólo se le abría un horizonte de dolor.

Así fue cómo don Pascual, con las declaraciones de todos, pudo hacer un panorama de los reales sucesos y comprender mejor el problema del fusilamiento de los Cano. La ignorancia y el fanatismo habían llevado a esas gentes sencillas a cometer el doble asesinato y tampoco ignoró que habían culpables, gentes conscientes, que se habían aprovechado de esa ignorancia y fanatismos.

Quedaron en libertad todos los amigos de los Cano. En el pueblo se les abrió un vacío de silencio, que bien podía ser una reacción de sus conciencias sensibilizadas o de un nuevo rencor por haber tenido apoyo del Jefe Departamental. Los que habían declarado contra las víctimas, rehuían el encuentro de los muchachos: quizá temían recibir un maleficio de su magia aprendida en "El Colegio" o, simplemente, temían la venganza.

Vino el proceso judicial que condenó a la Municipalidad Constitucional y al pueblo todo de Ilamatepeque por aquel crimen. Pero no hubo el castigo del caso porque fuerzas poderosas intervinieron y, cuatro años más tarde, en enero de mil ochocientos cuarenta y siete, el Congreso Nacional, reunido en Comayagua, indultaría al pueblo, cerrando así el proceso extraordinario hecho en Honduras contra toda una comunidad.

EPILOGO

Todas las milpas de las regiones distantes del río Ulúa se perdieron. Solamente aquéllas que eran de los principales del pueblo y que estaban ubicadas en las buenas tierras de las vegas, crecían con frondosidad. El pueblo callaba volviendo sus ojos con resignación al cielo; tendrían que soportar privaciones porque, con las cosechas de los maizales de los grandes del lugar, no se abastecerían y, por su parte, tendrían que comprar el grano pagando con muchos meses de labor. Eso lo sabían.

Pero, a últimos de abril, vino una nueva desgracia, inesperada e imposible de esquivar. Después del mediodía el cielo se obscureció repentinamente. Los habitantes de Ilamatepeque temblaron, recurriendo a sus oraciones. Todos salieron a las calles, como presos de espanto ante aquel fenómeno.

—Santo Dios ¿qué es eso?

—¿Será el Juicio Final?

—Ay, San Cristóbal ¿qué irá a suceder?

—¿Por qué se ha escondido el sol al mediodía?

Corrían por las calles. Iban a la iglesia. Se postraban en los patios clamando al cielo y a los santos. Las gallinas cantaban lúgubremente y los perros maullaban "como cuando ven al Diablo". Los pájaros, timoratos, se introducían en las casas. Por sobre Ilamatepeque iba pasando una nube rojiza y se escuchaba un sordo rumor. Luego comenzaron a bajar, desprendidos de aquella cortina extraña, innumerables animalillos voladores.

— ¡El chapulín! ¡Es el chapulín!

Era la plaga voraz y tremenda, que llegaba quién sabe de dónde. La nube rojiza y fantástica parecía no avanzar, tal el número de langostas. Un cuerpo, una manga, se desplazó hacia la tierra, cayendo sobre las milpas y sembrados de los señores de Ilamatepeque. Ni tiempo les dio para recurrir a la ayuda del pueblo que, de todas maneras, habría sido infructuosa. El chapulín, en poco tiempo, había arrasado con la frondosidad de los maizales, las hortalizas, las zacateras y hasta con la seca vegetación de los montes más distantes.

Entonces fue cuando Joaquín Montoya y Pedro Cano se lanzaron a la calle a gritar su cólera contra el pueblo.

— ¡Castigo de Dios! ¡Castigo de Dios por el asesinato de los Cano! ¡Es el poder de la Providencia contra los asesinos que apedrearon a los muertos!

— ¡No ha tardado el castigo! ¡Destrozaron nuestra milpa y nuestra acequia por maldad; ahora, ahí está el chapulín que no les dejará ni las raíces! ¡Comienzan a pagar, hombres sin alma!

Muchos callaban, pensando honradamente que esa plaga caída del cielo era un castigo de Dios por la muerte de los hermanos Cano, por haberles arrastrado y apedreado con saña.

Pero Juan **Anteportam** López, el Escribano sabio, expuso su tesis contraria y salió también a predicar entre las gentes.

—Ese chapulín nos ha caído por maleficio: es todavía el poder de los brujos ajusticiados. Tenemos que hacer algo, porque, de lo contrario, todavía, desde el quinto infierno donde se achicharronan, nos van a hacer daño. Entiéndanlo bien: es por su brujería que baja el chapulín, porque el chapulín mora sólo en los infiernos.

Fue a dar su consejo al señor Alcalde, quien estaba muy nervioso y acongojado viendo la destrucción de sus maizales.

—Yo no creo —le dijo Anteportam— que, como andan diciendo muchos, esto nos sucede como castigo. No. Yo creo que se debe a que no arrancamos del todo las raíces del mal de la brujería.

—¿Cómo. . .?

—Los Cano enseñaron la magia a esos muchachos y estoy seguro de que esta plaga es causa de ellos para vengar a sus maestros hechiceros.

Quizá don Gervasio Lázaro hubiera aceptado la opinión y prestádose para cometer otro crimen con los amigos de los Cano; mas recordó el proceso pendiente que tenía el pueblo y las enérgicas amenazas de don Pascual de Paz, hechas a él directamente.

—Nada podemos hacer, Juan.

—¿Nada? ¡Ah, si estuviera el Tata-Cura estoy seguro de que te lo ordenaría como penitencia por lépero! ¿No ves que el mal lo llevan a donde vayan los morazanistas? ¿No ves que los Cano dejaron sembrada en Ilamatepeque la mala semilla?

—Juan, yo no me meto más en esos asuntos. Déjame tranquilo. ¿No ves que todos mis maizales han volado con el chapulín? ¡No quiero que me hablés más de aquellos brujos malditos!

—No comprendo qué te está pasando a vos, Gervasio, a lo mejor ya te estás cambiando, te estás cambiando. . . ve no sea que los Cano te zamparon su hechicería.

El Alcalde no estaba para esos asuntos ni para suspicacias políticas; dejó al Escribano con la palabra. Salió a la calle. Había, por lo menos, que ordenar a las gentes la limpieza de las calles y casas donde se amontonaba el chapulín, produciendo un hedor peculiar. Allá por el atrio del templo sin repellar, se oía la campanilla de José Angel García y su canto religioso que secundaban otras voces.

Adoremos al Santísimo
Sacramento del Altar. . .

La desgracia caída en Ilamatepeque con la manga de chapulín, rompió las últimas esperanzas de las gentes pobres, que ya no contaban con otro consuelo que aceptar la fatalidad y pedir clemencia a Dios.

Antes del día de la Cruz cayeron los aguaceros borrascosos y con grandes descargas eléctricas. Muy tarde venían las lluvias, pero más valía tarde que nunca. Esas lluvias resucitaron la alegría destruida por el chapulín. El olor de la tierra mojada traía anhelos nuevos para retornar a ella y hacerla parir frutos y tubérculos.

La familia Montoya, que andaba en muy malas relaciones con el vecindario por el crimen de Doroteo y Cipriano, temían una agresión cualquier día por parte de los fanáticos. Joaquín vivía en constante zozobra, esperando siempre una mala noticia respecto a sus hijos. Podían también asesinarlos. Y ese temor lo compartía con su mujer cotidianamente. Debido a eso, la noticia que ellos les dieron un día fue casi un consuelo, a pesar de ser ingrata.

—Hemos pensado en que debemos irnos del pueblo antes de que pase algo desgraciado.

Era duro separarse de sus tres hijos, pero podría ser mucho más doloroso verlos un día cualesquiera asesinados.

—¿Y para dónde se van? Por todas partes es igual.

—Quién sabe —dijo Cristóbal, recordando a Doroteo y a Cipriano cuando conversaban de otras tierras y otras gentes—. Andar ayuda, tata.

Joaquín y su mujer no hicieron muchos esfuerzos para detenerles; el padre quizá hubiera deseado marcharse con ellos también, pero no podía dejar a su mujer ni abandonar su vivienda de bahareque.

Con los Montoya iba Tobías Cortez, que era quizá el más decidido de todos, el más audaz a romper la barrera aldeana del pueblo. Como ahora andaban juntos, las gentes les habían cambiado el número diciendóles por apodo "Los Cuatro Macacos". Prepararon todo para su partida.

Los hermanos Torres vinieron de Chinda la víspera de su salida para despedirles. Esa tarde y noche llovió bastante y tuvieron que quedarse en Ilama, por lo que durmieron donde sus amigos, sus compañeros de la Sociedad Federal de Hijos de Morazán, que ya no funcionaba. Al amanecer, los viajeros se despidieron de sus padres, de Pedro Cano y de María, que vinieron por la madrugada especialmente a verles partir. Hubo lágrimas de las mujeres y hasta del viejo Joaquín.

—Que Dios los ampare, hijos, por donde quiera que vayan. . .

Con los Torres se marcharon. Fueron al paso del río cuando ya amanecía y algunas gentes conversaban en las cocinas. El Ulúa estaba más ancho y profundo, a causa de las lluvias. Un canoero los pasó al otro lado en el cayuco de la Municipalidad; era un indio hosco, que apenas les contestó el saludo. Había neblina en los cerros y la tierra estaba humedecida. Ya comenzaban a verse los nuevos brotes verdeantes.

El grupo fue hasta el Cerro de "Las Campanas". Querían, antes de partir, visitar la tumba donde yacían sus maestros y amigos entrañables. No sabían cuándo regresarían a Ilamatepeque, o , si acaso, volverían. Sobre la tumba había un montón de piedras; no tenía cruz ni coronas. Todos se quitaron respetuosamente los sombreros de ilama.

—Nos vamos, manitos —dijo Lucas, como si le escucharan desde el fondo de la tumba empedrada—; nunca los olvidaremos y trataremos de ser valientes y buenos como ustedes.

—Sí —secundó Cristóbal—, nosotros los llevaremos en el alma con todo honor, como lo merecen los soldados de Morazan.

—Seguiremos sus huellas, compas —expresó Tobías con los ojos clavados en las piedras—; ustedes nos enseñaron lo bueno de la Federación y ahora nosotros vamos a buscar a esos hombres que luchan por ella.

—Iremos a buscar al General Trino Cabañas y nos pondremos a sus órdenes —murmuró Serafín.

—Sí, nosotros pelearemos por ustedes y por Morazán para que vuelva la vida que, según nos contaron, era buena para los pobres. . .

Callaban mientras el aire frío de la amanecida les despeinaba más los cabellos indios, rebeldes como los Cano. Se pusieron los sombreros y, de nuevo, cargaron sus maletas. Bajaron del cerro a grandes pasos. Iban resueltos a todas las vicisitudes por esos caminos que desconocían. Abajo se despidieron de los hermanos Torres con abrazos y pocas palabras.

—Nos volveremos a ver, compas.

—Sí, cuando ya no haya tanta desgracia.

—No se olviden de nosotros que nos quedamos.

—Nunca, nunca; somos hermanos.

—Sí, somos hermanos. . .

—Bueno. . .

Se separaron tomando caminos opuestos: los Torres, hacia Chinda, y los otros, hacia tierras desconocidas. Allá, al otro lado del Ulúa, quedaba Ilamatepeque, saliendo de las brumas, húmedo de rocío y de chubasco. Unos tras otros los cuatro hombres se perdieron en la vuelta de una curva; sus pies descalzos dejaban huellas profundas en la tierra. . .

Este libro se terminó de imprimir
en los Talleres de Litografía López, S. de R. L.
en el mes de Marzo del 2001,
su edición consta de 3,000 ejemplares.